LA FRANCE
Sauvage

GEO

LA FRANCE
Sauvage

Photos
Fabrice Milochau

Textes
Frédérique Roger

les créations du
Pélican

4

sommaire

Réserve du Grand Cul-de-Sac Marin, Guadeloupe.

Double page précédente :

Cirque de Saint-Même, Isère.

La genèse
de l'impossible

Personne ne pourrait admirer les fabuleux paysages terrestres s'il n'y avait eu, il y a quinze ou vingt milliards d'années, cette colossale explosion originelle : le *Big Bang.* Toutes les galaxies, auparavant réunies, s'éloignent alors les unes des autres. Il y a 4,6 milliards d'années, le système solaire se met en place et, en son sein, l'embryon des différentes planètes. Le temps de gestation est infini : hasard et minutie doivent, à partir d'un nuage de gaz et de poussières, engendrer une planète viable, la Terre. L'accrétion des grains de matière s'y fait au rythme des collisions, jusqu'à prendre consistance minérale. La terre sera rocheuse et formée de trois enveloppes : le noyau et le manteau, constitués de fer et de nickel, puis la croûte silicatée faite d'éléments

6

Baie du mont Saint-Michel, Manche.

moins denses. Les éléments volatils comme l'hélium et l'hydrogène restent en surface et vont fournir à la terre une atmosphère. Il y a 3,6 milliards d'années, l'eau fait son apparition à la surface du globe, grâce aux éjections volcaniques et à la juste action du feu solaire qui autorise la condensation de la vapeur. Toutes les conditions sont alors réunies pour faire de la Terre un systè-me stable, capable d'assumer sa propre évolution. L'horloge du temps est lancée, le précambrien voit la vie apparaître il y a 3,5 milliards d'années par combinaisons d'oxygène, de carbone, d'hydrogène et d'azote. Les premiers fossiles agencent le premier barreau de l'échelle des temps géologiques, il y a 570 millions d'années, à l'ère primaire.

7

Éclipse totale de Soleil, août 1999.

Double page suivante :

Cap Blanc-Nez, Pas-de-Calais.

Formation du continent européen

Cap Pertusato, Corse.

Depuis 3,8 milliards d'années, la roche est l'essence même de la surface terrestre. Elle forme une croûte rigide, divisée en plaques mobiles flottant sur un manteau parcouru de courants de convection. Ces derniers gouvernent les mouvements des plaques et les font interagir en les écartant ou les rapprochant. Il en découle failles, plissements, chevauchement et volcanisme… Jusqu'au jurassique (– 245 millions d'années) la Pangée rassemblait en un

super continent tous les continents que nous connaissons.

Sous l'effet des mouvements internes du manteau, ceux-ci entament alors une lente déri-ve vers leur position actuelle. Le continent euro-péen, tout d'abord soudé au continent nor-dique, s'individualise en plaque eurasiatique.

Sa morphologie est, et reste encore aujour-d'hui, sous l'influence de la plaque africaine qu'il chevauche.

Orgues volcaniques, Haute-Loire.

Baie de Loya, Pyrénées-Atlantiques.

La France hercynienne

Située sur la lisière occidentale de la plaque eurasiatique depuis le jurassique, la France n'a réellement pris ses contours actuels que très récemment, à peine quelques millions d'années avant notre ère. Soumis comme le reste du monde aux interactions mécaniques des continents, certains de ses terrains en ont cristallisé les effets. Les plus anciennes roches connues en France ont été datées du précambrien, il y a 2,5 milliards d'années. C'est par le Massif armoricain que s'est initié l'hexagone. Les Ardennes, les Vosges puis le Massif central, lui emboîtent le pas plus d'un milliard d'années plus tard. La France apparaît alors comme un territoire marin, peu profond, parsemé d'îlots et de cordillères en cours d'érosion. Durant le dernier tiers de l'ère primaire, la France et l'Europe centrale sont sous des latitudes équatoriales.

Réserve de Scandola, Corse.

14

Étretat, Seine-Maritime.

Ploumanac'h,
Côtes-d'Armor.

Cap Pertusato, Corse.

Étretat, Seine-Maritime.

Réserve biologique, Fontainebleau, Seine-et-Marne.

18

Sur les pentes de l'immense chaîne de montagnes hercyniennes, la forêt prospère. Celle du carbonifère fournira les futurs gisements de charbon et de houille. Atteignant son altitude maximale au milieu de cette ère, la chaîne hercynienne se disloque. Rapidement érodée par un climat tropical chaud et humide, elle fournit au permo-trias (entre – 280 et – 195 millions d'années) les nouveaux grès rouges, visibles dans le nord des Vosges. La France est alors presque totalement émergée et le siège d'un volcanisme important. Des coulées de laves rhyolitiques marquent le paysage des Maures et de l'Estérel ainsi que la Corse. D'imposantes intrusions granitiques se mettent également en place dans le Massif armoricain, le Massif central, les Pyrénées, les Vosges, les Maures et la Corse.

Forêt de Bélème, Perche.

La France alpine

Au trias commence l'ère secondaire. Le territoire français va connaître une longue période de calme durant plus de cent millions d'années. La chaîne hercynienne n'est plus qu'une vaste pénéplaine largement réoccupée par le domaine marin. À la fin du jurassique, seul le Massif armoricain émerge encore des eaux. Le Bassin parisien et celui d'Aquitaine s'individualisent avec d'importants dépôts calcaires. Dans le Briançonnais, l'éloignement des plaques eurasiatique et africaine entraîne la formation d'un rift océanique où sont émises d'importantes quantités de laves sous-marines. Dans cet océan, situé à l'emplacement actuel des Alpes, la profondeur atteint deux mille mètres par endroits. Il s'y dépose, jusqu'à la fin du crétacé, d'épaisses couches sédimentaires. Dans les fosses, les fonds sous-marins sont recouverts de « terres noires » visibles dans les Alpes-de-Haute-Provence aux niveaux des Robines. Sur le reste du territoire, la mer fait des allées et venues. Le début de l'ère tertiaire est marqué par l'inversion du mouvement des plaques : l'Eurasie et l'Afrique se rapprochent. Une rotation de la péninsule ibérique vers la droite entraîne alors la sortie de la chaîne des Pyrénées.

23

Massif du mont Blanc, Haute-Savoie.

Mer de Glace, Chamonix, Haute-Savoie.

Double page précédente :

Aiguille du Midi, Chamonix, Haute-Savoie.

Dans les Alpes, la mer est évacuée vers l'ouest suite à une puissante compression des terrains : la chaîne alpine est en plein soulèvement. Tout le reste du pays ressent les contrecoups de ce bouleversement tectonique. De nombreux fossés se creusent (Alsace, Cévennes, Provence). À la fin du miocène (autour de −10 millions d'années) d'épaisses couches sédimentaires se trouvent plissées, charriées à des centaines de kilomètres.

La Provence bascule vers le sud, provoquant le surcreusement des cours d'eau (gorges du Verdon, de l'Ardèche…) et l'arrachement de la Corse qui migre vers sa position actuelle. La couverture du Jura se décolle et se plisse. Les Vosges, l'est du Massif central et les Pyrénées sont à nouveau surélevés. Jusqu'à la fin de l'ère tertiaire, au pliocène (entre −5 et −2 millions d'années) l'orogenèse alpine modèle l'ensemble des paysages français.

Flaine, Haute-Savoie.

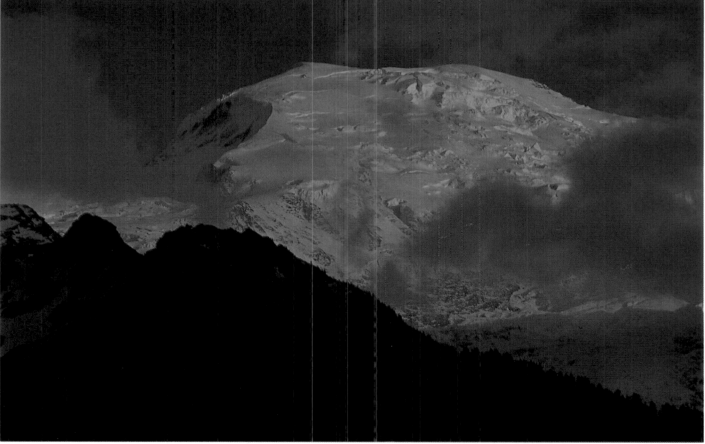

Massif du mont Blanc, Haute-Savoie.

Ci-dessus et à droite :
Lac Chavillon, Hautes-Alpes.

Le temps
des glaciations

Si l'ère quaternaire apparaît comme le calme après la tempête, elle est tout de même marquée par une succession de glaciations. Ces événements ne sont pas sans précédent puisqu'ils se reproduisent cycliquement tous les cent mille ans sous l'effet de variations astronomiques telles que celle de l'inclinaison de l'axe de la Terre ou de la forme de l'orbite terrestre. Ces fluctuations climatiques de grande amplitude font alterner périodes chaudes et périodes froides pouvant aller jusqu'à la glaciation. Le cas échéant, l'eau des océans est alors stockée aux pôles sous forme de glace et le niveau des mers s'abaisse d'une centaine de mètres. Les calottes glaciaires, en place il y a vingt mille ans, lors de la dernière glaciation (Würm), se sont principalement étendues sur le Canada et le nord de l'Europe sans descendre jusqu'à la France. Cependant, l'ensemble des massifs montagneux du territoire fut recouvert de puissants glaciers. Ces derniers ont parachevé le relief français en creusant les grands fleuves et les vallées, en rabotant les sommets et en sculptant les façades maritimes.

Gelée matinale.

Glacier des Bossons, Haute-Savoie.

Double page suivante :
Massif du mont Blanc, Haute Savoie.

Les massifs anciens

Le Massif armoricain

Ce qui est devenu la Bretagne est, géologiquement parlant, un très vieux pays. C'est là qu'ont été datées les plus vieilles roches françaises. Parmi elles, les gneiss du Nez de Jobourg, près de la pointe de la Hague, se sont mis en place il y a 2,5 milliards d'années. Administrativement situées en Normandie, elles appartiennent, géologiquement parlant, au Massif armoricain. Le reste de la région est essentiellement constitué de roches granitiques, volcaniques et métamorphiques de l'ère primaire, ère durant laquelle ces roches sont érigées en relief par le soulèvement de la cordillère hercynienne, haute comme l'Himalaya actuel. Rapidement rabotée par un climat subtropical très abrasif,

l'Armorique est ensuite en partie submergée par la mer. Le sable arraché aux reliefs s'y dépose dans les vallées ; il deviendra le grès armoricain, souvent rouge comme au cap Fréhel ou schiste anthracite comme aux monts d'Arrée. La dérive des continents qui s'amorce occasionne localement quelques épisodes volcaniques émettant tufs et laves sous-marines *(pillow-lavas)*. Au cours des ères secondaire et tertiaire, l'ensemble du Massif armoricain reste émergé ; seuls quelques bassins isolés reçoivent sables et argiles. La morphologie de la Bretagne est peaufinée à l'ère suivante : les rigueurs glaciaires du quaternaire achèvent de creuser les vallées, recouvrent le nord de la région d'un manteau de lœss (sédiments fins d'origine éolienne) ; les dunes sableuses et les plages prennent leur aspect actuel.

33

Roc'h ar Feunteun, monts d'Arrée, Finistère.

Roc'h Trévezel, monts d'Arrée, Finistère.

L'Ardenne

Ce grand massif schisteux est également l'un des plus vieux reliefs européens. Sa géologie débute, tout comme la Bretagne, dès le précambrien et s'étoffe principalement au cours de l'ère primaire. Ces terrains, soumis à des orogenèses successives au cours de ces dernières périodes, sont amplement plissés : la région est marquée par une série d'anticlinaux et de synclinaux (synclinal de Namur, anticlinal de Brabant…). Les roches originelles y sont, par conséquent, nettement transformées avec une prépondérance de schiste et de quartzite (anciens dépôts marins argileux et sableux puissamment compressés). Il en reste aujourd'hui les schistes et marbres noirs émergeant du paysage, au-dessus des méandres de la Meuse et quelques promontoires tabulaires. Dans la seconde moitié de l'ère primaire, le climat est tropical et la mer dépose des calcaires ; certains sont récifaux dans la région de Dinant, en Belgique. De puissantes forêts carbonifères s'installent et formeront les actuels bassins houillers. Au cours de l'ère secondaire, les mers du jurassique et du crétacé qui baignent l'ensemble du bassin de Paris viennent lécher le reste des reliefs ardennais et ne les transgressent qu'épisodiquement. À l'ère suivante, l'Ardenne est complètement continentale, son relief s'érode. Les glaciations achèveront de modeler ses paysages en surcreusant l'ensemble de son réseau hydrographique.

Vallée de la Misère.

Les Vosges

Les terrains sont anciens, mais la région n'a acquis sa morphologie actuelle qu'au cours des dernières ères tertiaire et quaternaire. Les terrains métamorphiques primaires constituent le noyau central des Vosges. Ils sont bordés au nord et au sud de roches sédimentaires et volcaniques d'âge carbonifère injectées de granite. Pour simplifier, on distingue cependant uniquement les Vosges gréseuses des Vosges cristallines. Entre les coupoles granitiques des Grands Ballons et les falaises de grès rouges de la région de Bitche, leurs paysages sont aujourd'hui extrêmement diversifiés. À partir de l'éocène, au début du tertiaire, le massif vosgien est fortement transformé par le creusement vers l'est du fossé rhénan : un important jeu de fractures taillade la croûte en «marches d'escalier» descendant vers la plaine d'Alsace et remontant vers la Forêt Noire allemande. Jusqu'à son comblement post-jurassique, cette large gouttière constituait un détroit reliant la mer du Nord à la mer alpine. Aujourd'hui, un bombement des terrains a mis fin à cette communication et le Rhin en a fait son lit.

Le Massif central

Le Massif central est de ces terres originelles qui constituèrent les premières ébauches de la France. Ses terrains ont subi toutes les orogenèses qui s'y sont succédé depuis plus de six cent millions d'années (cadomienne, calédonienne, hercynienne et alpine). À plusieurs reprises, au cours de l'ère primaire, les roches préexistantes sont métamorphisées (« cuites «), conséquence de la remontée d'un magma à faible profondeur : schistes, grès, gneiss et micaschistes sont parcourus d'intrusions volcaniques et granitiques.

À partir du carbonifère, l'orogenèse hercynienne entraîne la formation de grandes failles : la faille d'Argenta longue de 160 km et le sillon houiller long de 250 km qui feront la richesse métallifère de la région. À l'ère secondaire, le relief est complètement abrasé et la mer recouvre toute la région. Au sud, les Grands Causses sont aujourd'hui les restes d'une ancienne plate-forme carbonatée déposée dans des hàuts-fonds. Durant l'ère tertiaire, l'ensemble des terrains sédimentaires se démantèle, se creuse de grottes (karst) et c'est à la fin de cette ère, au miocène, que se réveille l'essentiel du volcanisme auvergnat. Il y a vingt-cinq millions d'années, une centaine de volcans se mettent en place. Le volcanisme atteint son apogée au pliocène quand s'édifient la plupart des grands stratovolcans (volcans en cône) du Cantal et du Mont-Dore. Au début du quaternaire, des épanchements de laves recouvrent l'Aubrac et le Cézallier. Le Cantal s'est assoupi, mais le Mont-Dore est encore en pleine éruption. Dans les quinze derniers millions d'années de notre ère, la formidable chaîne des Puys se met en place. L'activité volcanique du Massif central a cessé il y a sept mille ans avec la mise en place du Pavin, aujourd'hui occupé par le plus beau lac de cratère français.

Vallée de Chaudefour, Auvergne

Les grands bassins sédimentaires

Le Bassin parisien

Avec ses 600 km de diamètre, ce bassin dépasse très largement les dimensions de la capitale. Il est limité à l'ouest par le Massif armoricain, à l'est et au nord-est par les Vosges et les Ardennes, au sud par le Massif central. Ses empilements concentriques de roches sédimentaires reposent sur un socle granitique et gneissique ancien situé à trois mille mètres de profondeur (maximum situé dans la Brie). Il est affecté de trois failles majeures, dont celle de Rouen-Ram-bouillet-Sancerre est responsable de l'anomalie magnétique négative du Bassin de Paris. Elles sont comblées pour la plupart avant même le début de l'ère primaire. Durant cette première ère, l'orogenèse hercynienne qui touche l'ensemble de l'Europe centrale déforme le socle du bassin qui prend du relief. Ce n'est qu'après un aplanissement général au début du secondaire (trias) qu'une longue transgression marine s'amorce. Elle sera bien franche à partir du jurassique (-195 millions d'années), période durant laquelle une mer chaude et peu profonde s'installe autour de Paris.

Platière de Poligny, Seine-et-Marne.

Forêt de Fontainebleau, Seine-et-Marne.

Savane, forêt de Fontainebleau, Seine-et-Marne.

40

Le bassin est globalement sous des latitudes tropicales et d'importants récifs coralliens se mettent en place. Certains sont aujourd'hui visibles près de Verdun, sur les rives de la Meuse. Au crétacé inférieur, la mer abandonne le bassin avant de revenir par le Jura. Elle déposera alors d'importantes quantités de craie, visibles sur le littoral normand (côte d'Émeraude, côte d'Albâtre…) avant de disparaître à nouveau. Cet incessant va-et-vient se poursuit tout au long de l'ère tertiaire. Au cours de la dernière transgression marine qui touche le centre du bassin, se déposent les sables de Fontai-

nebleau. La mer se retire alors définitivement par la vallée de la Loire, abandonnant sur la Beauce un immense lac où se déposent les calcaires de Beauce. Au cours de la transition tertiaire-quaternaire, l'ensemble du bassin subit un soulèvement (déformations alpines) entraînant le creusement des vallées. La morphologie du bassin de Paris ne s'est achevée qu'au cours de notre ère, sous l'action des glaciers nordiques. Déposant une confortable couverture de lœss, ils ont contribué à rendre fertiles l'ensemble des plates-formes calcaires « parisiennes ».

41

Réserve de Sorques, Seine-et-Marne.

Le bassin d'Aquitaine

Le triangle est limité au nord par la fin du Massif armoricain (Vendée), au nord-est par le Massif central, au sud par la chaîne des Pyrénées et à l'ouest par l'océan Atlantique. Il est relié au Bassin parisien par le seuil du Poitou et atteint son maximum d'épaisseur au sud avec près de cinq mille mètres de sédiments au-dessus du socle cristallin, au pied des Pyrénées. L'ensemble des terrains du bassin a fortement subi la tectonique hercynienne, comme le montre l'inclinaison de nombreuses couches (jusqu'à 50°). Une fois rabotés les reliefs de l'ère primaire, une langue de mer lagunaire s'insinue entre la région des Causses auvergnats et les premiers reliefs pyrénéens pour recouvrir le sud puis le nord de la région au cours du secondaire. Durant des périodes d'évaporation intense, la mer abandonne par endroits d'importants dépôts de sel qui confèrent à certains paysages l'ambiance des sebkhas du Sahara. Après l'ouverture du seuil du Poitou, les hauts fonds occitans s'installent sur l'est et laisseront la vaste plate-forme calcaire qui forme aujourd'hui les paysages des Causses du Lot ou du Quercy. Localement une barrière récifale se met en place. À la fin du jurassique l'omniprésence de la mer se fait moins régulière ; trois sous-bassins s'individualisent (Charentes, Parentis, Adour). Plus qu'ailleurs il s'y dépose d'épaisses couches carbonatées, aujourd'hui creusées de puissants canyons. L'ensemble de l'Aquitaine, qui était jusqu'à présent orientée vers l'est (Alpes), s'ouvre désormais sur l'Atlantique en formation. Au cours du crétacé, la mer revient sur l'ensemble du bassin et dépose des calcaires dont les plateaux du Périgord. La transition crétacé-tertiaire est marquée par le soulèvement alpin. La force du phénomène va également relever les reliefs pyrénéens et arracher à leurs flancs un matériel détritique à l'origine des falaises de la côte basque. Au quaternaire, un large delta se met en place dans les Landes déposant sables et argiles où s'installent des marais d'arrière-dune comme l'exotique courant d'Huchet, près du lac de Léon. Après la dernière déglaciation (Würm), la dune du Pilat, haute d'une centaine de mètres s'édifie plus au nord.

43

Dune du Pilat, Gironde.

Double page suivante :

Fosse de l'Hermitage, Charente.

Littoral de Socoa, Pyrénées-Atlantiques.

Dalle à ammonites, Alpes-de-Haute-Provence.

Les massifs récents

Les Alpes

Le soulèvement des Alpes franco-italiennes est responsable de la majorité des paysages français. Leur formation a débuté au fond d'une mer aujourd'hui disparue, la Thétis. Jusqu'au crétacé supérieur, son ouverture se poursuivit au rythme de l'éloignement des plaques eurasiatique et africaine. Ses profondeurs découpées en « touches de piano « sont constituées d'épaisseurs de sédiments, tantôt calcaires sur les hauts-fonds, tantôt vaseux dans les abysses. Les premiers forment aujourd'hui les paysages du Vercors où sont creusés cirques, grottes, et gorges. Les seconds sont qualifiés de « terres noires « et constituent les étendues lunaires des Robines, nombreuses près de Digne-les-Bains ou Gap. Dans ces mers chaudes et accueillantes du jurassique, la vie foisonne ; les fossiles sont particulièrement importants en nombre autant qu'en taille (jusqu'à deux mètres de diamètre) comme en témoigne le spectaculaire rassemblement d'ammonites retrouvées dans les Alpes-de-Haute-Provence. C'est après ce calme apparent qu'arrive la tempête. L'ère secondaire s'achève par un changement brutal du sens de dérive des continents. L'Afrique, qui s'éloignait jusqu'à présent de l'Europe, inverse le mouvement : la subduction s'arrête, la collision commence. La mer est progressivement chassée et les terrains exondés. L'événement est ressenti dans toute la France et une partie du monde. Plissements et charriage de nappes créent un imbroglio minéral à peine démêlable : les dépôts mis en place à un endroit se retrouvent emportés à des dizaines de kilomètres, les roches sont broyées, compressées… Les reliefs deviennent au cours du quaternaire les plus hauts reliefs français. Alors pris d'assaut par les glaciers, les montagnes alpines sont creusées de cirques glaciaires et percées de lacs. D'importantes quantités de moraine sont abandonnées à la fonte des derniers glaciers. Certaines ont été artistiquement découpées en demoiselles-coiffées comme à Théus, près de Gap.

Grotte de Choranche, Isère.

Chaîne du Reposoir, Haute-Savoie.

Lac Chambon, Isère.

Gorges du Verdon,
Alpes-de-Haute-Provence.

Le Jura

Arqué entre la Forêt Noire allemande, au nord, et les Alpes, au sud, le Jura est essentiellement constitué de formations calcaires déposées tout au long de l'ère secondaire, y compris au cours du jurassique qui lui doit son nom. Durant l'ère suivante, les terres jurassiennes restent en grande partie émergées, soulevées par l'orogenèse alpine. Totalement érodées, il n'en reste aujourd'hui que de rares affleurements. Dès lors se dessinent deux ensembles très différents : le Jura externe, tabulaire fait de plateaux chevauchant la Bresse et le Jura interne, plissé en arcs montagneux surplombant le bassin suisse. Ce n'est qu'au cours du quaternaire que le Jura va prendre sa morphologie actuelle. Les glaciers qui recouvrent ses plus hauts reliefs sculptent les vallées et surcreusent le lit des rivières.

Cascade de la Billaude, Jura.

Source du Lison, Jura.

Cirque de Consolation, Doubs.   Gorges du Hérisson, Jura.

Gorges de Kakouetta, près de Saint-Engrâce, Pyrénées-Atlantiques.

Il y a deux cent millions d'années, ses reliefs ne sont plus qu'un souvenir que la mer du secondaire et du tertiaire envahit. Les causses calcaires se déposent, aujourd'hui creusés de canyons et de gaves. La région des actuelles Pyrénées se trouve alors dans une zone très instable : l'Afrique et la péninsule ibérique dérivent d'une centaine de kilomètres vers l'est, entraînant la compression des terrains pyrénéens et leur soulèvement au début de l'ère tertiaire. Cette révolution minérale se manifeste aujourd'hui par la grande répartition de flyschs, nom donné aux sédiments qui ont glissé le long d'une pente ou qui ont été entraînés dans des nappes de charriage. Ils caractérisent indirectement le soulèvement des Pyrénées et forment aujourd'hui les faibles ondulations du paysage et les mille-feuilles minéraux de la Corniche basque. Au cours de l'ère quaternaire, les glaciers pyrénéens atteignent des proportions moindres que dans les Alpes ; on leur doit cependant le creusement de certains cirques (Troumouse, Gavarnie…) et vallées (gave d'Ossau, gave de Pau…).

Falaises de Ciboure, Pyrénées-Atlantiques.

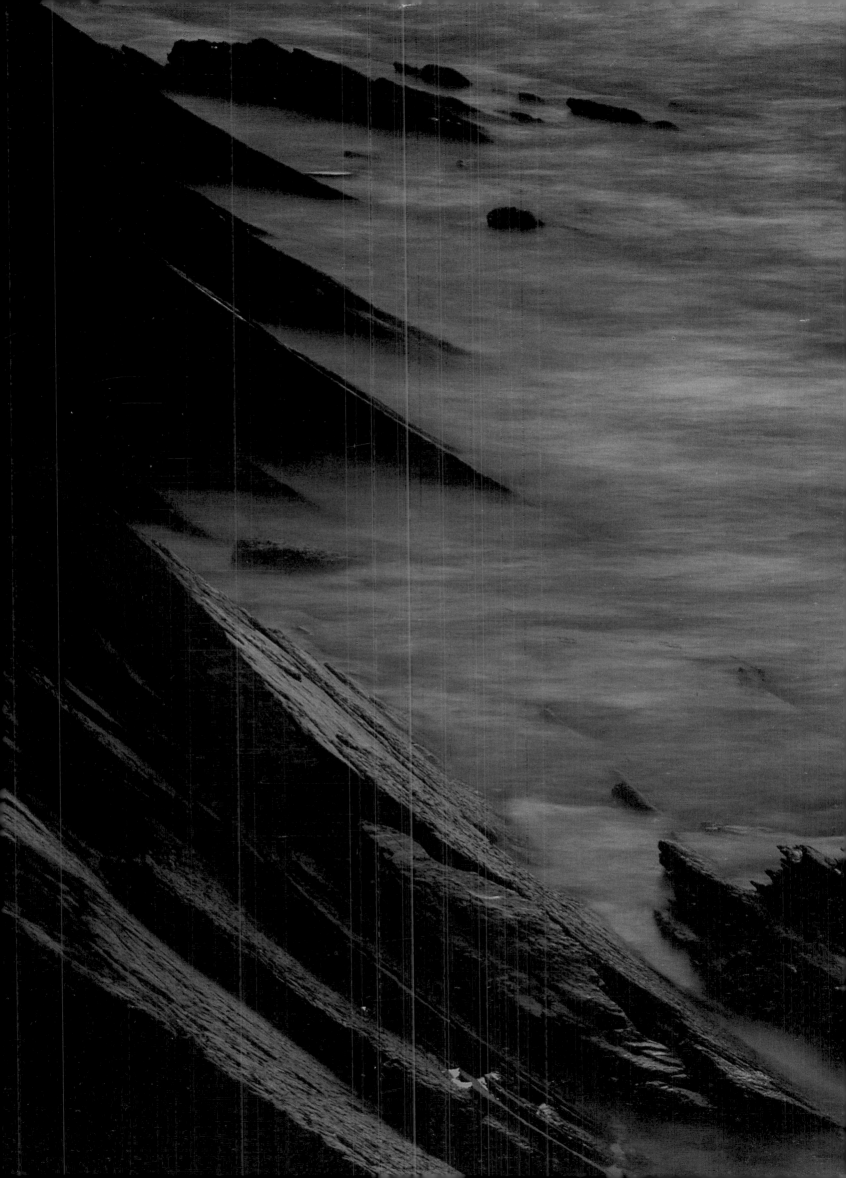

La Corse

L'île est scindée en deux parties géologiquement très différentes. La Corse ancienne (ou cristalline) du sud-ouest constituée des roches pyrénéo-provençales (roches magmatiques et volcaniques du carbonifère et du permien, – 345 à – 230 millions d'années) et la Corse alpine du nord-est, véritable prolongement des Alpes franco-italiennes, constituée de roches vertes d'origine essentiellement métamorphique (schistes lustrés). Une fois en place, les terres corses sont localement recouvertes par les eaux marines de la Méditerranée : à la fin de l'ère tertiaire (miocène), elles déposent les calcaires de Bonifacio et de Saint-Florent. L'ère s'achève par l'assèchement momentané de la Méditerranée et l'installation d'un immense désert de sel reliant l'ensemble des contrées méditerranéennes. L'ère quaternaire et sa rigueur climatique ont pour effet de recouvrir les reliefs insulaires (plusieurs sommets au-dessus de 2 000 mètres) de calottes neigeuses. À la fonte, les longs fleuves charriant les galets arrachés de part et d'autres de l'île viennent déverser leurs alluvions principalement le long de la façade orientale (région d'Aléria). Aujourd'hui, l'action des courants marins y a isolé une série de vastes étangs d'arrière-dune (Urbino, Biguglia…).

Roche verte du cap Corse.

Guagno, Corse.

Double page suivante :

Pointe de Spano, Corse.

Le réseau hydrographique

Situé à l'extrémité occidentale du continent européen, la France n'est pas traversée par de grands fleuves internationaux, tels la Volga (plus long fleuve d'Europe) ou le Nil (plus long fleuve du monde) qui courent sur plus de trois mille et six mille kilomètres. Le plus long des nôtres est la Loire, n'atteignant que mille douze kilomètres. La Seine, la Garonne et le Rhône sont les trois autres grands fleuves français qui, à l'échelle de la France, sont de dimension modeste. Cette infériorité de longueur et de débit est nettement compensée par une juste disposition sur l'ensemble du territoire.

66

Saut de l'Ognon, Franche-Comté.

Le Loing, Seine-et-Marne.

La Loire (1012 km) descend du mont Gerbier-de-Jonc, dans les Cévennes. Elle quitte le Massif central et ses pentes vives par le nord-ouest et rejoint Orléans au relief plus atténué avant de virer plein ouest. De Blois à Tours, son cours se ralentit et s'étale. À son entrée dans le Massif armoricain, la pente devient faible et le fleuve se fraie un lit entre les reliefs. À l'approche de la mer, les marées remontent jusqu'à Nantes et élargissent son cours jusqu'à son estuaire entre Saint-Nazaire et Paimbœuf. La Loire reçoit à droite le Furens, l'Arroux, la Nièvre et la Maine, et à gauche, l'Allier, le Loiret, le Cher, l'Indre et la Vienne. Presque tous sont torrentiels, issus des hautes montagnes, et confèrent au fleuve une irrégularité le rendant peu navigable et dangereux.

69

La Seine (776 km) prend sa source à cinq cents mètres d'altitude, sur le plateau de Langres. Elle traverse les plaines de Champagne, longe le plateau de la Brie avant de rejoindre le Bassin parisien à vingt-six mètres d'altitude. La pente, à partir de là plus faible, l'autorise à se perdre en méandres avant de rejoindre la mer. La Seine serpente donc à travers les falaises crayeuses de l'ouest parisien et va se jeter dans la Manche entre Le Havre et Honfleur par un estuaire très large. Auparavant, la Seine aura reçu sur sa rive droite, les apports de l'Aube et de la Marne, nées, comme elle, du plateau de Langres, et l'Oise, venue de Belgique ; et sur sa rive gauche, ceux de l'Yonne descendue du Morvan accompagnée du Loing et de l'Eure venant des collines du Perche.

La Garonne (720 km) naît d'un glacier des Pyrénées espagnoles, dans la vallée d'Aran, mais rentre presque aussitôt en France, à cinq cent soixante-quinze mètres d'altitude. Elle parcourt ses premiers kilomètres vers le nord-ouest et bifurque vers le nord-est en butant contre le plateau de Lannemezan. Elle passe à Toulouse, à cent vingt-six mètres d'altitude et est alimentée par des torrents tels que l'Ariège, le Tarn, le Lot, le Gers, la Neste ou la Pique, tous descendant de zones montagneuses de plus de deux mille mètres. En aval de Bordeaux, la Garonne reçoit la Dordogne au Bec d'Ambès et devient la Gironde. C'est elle, élargie et gonflée par les marées atlantiques qui fait le lien avec la mer.

Rocher des Fées, Haute-Vienne.

Le Rhône (812 km dont 522 en France) prend sa source en Suisse, au pied du col de la Furka, sous le glacier du même nom. Malgré son apaisement dans le lac Léman et dans le lac de Genève, il est le plus puissant des fleuves français. Toujours torrentiel, il serpente dans un étroit couloir entre le Jura et la Savoie. Après avoir reçu les eaux de l'Ain et de la Saône, il passe à Lyon et rejoint en ligne droite la Méditerranée. Il reçoit sur sa rive gauche, l'Isère, la Drôme, la Sorgue, alimentée par la célèbre Fontaine de Vaucluse, et enfin la Durance. Les débris arrachés à ses reliefs se déversent dans un delta marécageux : la Camargue.

Cascade de Murel, Corrèze.

Le climat

Avec ses 536 408 km2 la France couvre un peu plus d'un millième de la surface du globe. Elle est située, pour l'instant (les continents ne cessent de dériver) entre 42 et 51° de latitude nord, au centre de la zone tempérée, à égale distance du pôle nord et de l'équateur. La proximité de la mer, qui la borde sur trois côtés (3200 km), lui confère un climat océanique qui modère toute amplitude : les étés torrides et les hivers très rigoureux ne sont que rarement l'apanage de l'hexagone. Ses reliefs sont pour la plupart confinés en lisière du pays : Pyrénées, Vosges, Jura, Alpes. Les vents y soufflent de toutes les directions. Ceux qui arrivent du sud-ouest, de l'ouest et du nord-ouest sont chargés de l'humidité absorbée au-dessus de l'océan Atlantique : ils sont doux et pluvieux (ce sont les plus fréquents). Les vents du sud, remontant depuis l'Afrique, assèchent le territoire en été mais le tempèrent en hiver. Le vent du nord était froid mais a été modéré par la traversée des mers du nord. Le vent d'est, d'origine continentale est sec, chaud en été et froid en hiver. Les pluies sont relativement fréquentes en France, mais peu abondantes et calmes (moyenne nationale : 0,80 m par an). Leur répartition est cependant très inégale : les zones montagnardes et côtières en reçoivent plus que la moyenne et les versants tournés vers l'océan plus que les autres. La modération, également, n'est pas identique aux quatre coins de la France. Les régions situées aux nord du Massif central sont plus froides, et les régions situées au sud sont plus chaudes. Les régions situées à l'ouest sont plus maritimes et celles situées à l'est plus continentales.

72

Ciel d'orage, Fontainebleau, Seine-et-Marne.

Vieux chêne, désert d'Apremont, Fontainebleau.

Campagne inondée, Eure-et-Loir.

75

Températures et pluies dépendent du jeu des masses d'air dans le ciel mondial, et plus particulièrement des masses d'air polaire atlantique et tropicale des Açores. En été, suivant le déplacement du soleil, les deux masses remontent : les perturbations sont chassées bien au-delà du nord de l'hexagone alors que l'air tropical l'envahit. En hiver, les perturbations qui accompagnent la masse d'air polaire se répandent sur la France ainsi que les hautes pressions russo-sibériennes. Un air froid et sec affecte alors l'est de la France et le Bassin parisien, et les perturbations migrent vers le sud sur la façade méditerranéenne. Ainsi les combinaisons entre perturbations atlantiques, anticyclone tropical et hautes pressions continentales dictent les lois du climat français.

Cuvier Châtillon, forêt de Fontainebleau, Seine-et-Marne.

78

Le climat lyonnais règne du Jura aux Alpes et dans le couloir rhodanien. Typiquement de type montagnard, il est rude et froid en hiver plus on monte en altitude mais tempéré dans les plaines et vallées. Les étés y sont très chauds. En montagne, les contrastes sont également très marqués entre les versants regardant le sud, l'adret clair et ensoleillé, et ceux tournés vers le nord, l'ubac sombre et froid.

Le climat méditerranéen règne de la façade méditerranéenne à la vallée du Rhône et au sud du Massif central. En plaine, les

hivers sont tièdes et les étés sont marqués par la chaleur et la sécheresse des déserts africains. Les pluies y sont rares quand soufflent mistral et tramontane, mais violentes quand pénètrent les perturbations atlantiques. Elles sont beaucoup plus abondantes sur les reliefs (Cévennes).

Cependant, une telle zonation ne reste qu'indicative car elle ne tient pas compte des climats locaux et des microclimats : une vallée, une rivière, un pan de colline, une forêt sont capables d'agir sur les masses d'air et sont ainsi susceptibles d'influer localement sur le climat général.

Il a neigé toute la nuit sur cette petite vallée alpine.

de fer
et de craie
les terres du nord

Des confins du Bassin parisien aux plaines de Flandre, le relief ne s'élève que rarement au-dessus de deux cents mètres, excepté au sud-est des Ardennes, à l'emplacement des vieux massifs. Partout ailleurs, plaines et plateaux peu élevés marquent une molle ondulation, interrompue ici par une déchirure dans la craie, là par le cône d'un terril.

Au nord et nord-ouest, la façade maritime est un long dédale où se succèdent hautes murailles immaculées et dunes volatiles. Du pays de Caux normand à la frontière belge septentrionale, les falaises d'Étretat, d'Ault, du Tréport ou celles des caps Blanc-Nez et Gris-Nez illuminent une Manche souvent déchaînée. Leur dimension n'a jamais impressionné que nous ; aussi puissantes qu'elles soient, la mer, en les grignotant sournoisement du bas, leur impose un perpétuel recul. Nul doute qu'elles prennent toute leur majesté depuis le large, d'où elles apparaissent comme un véritable rempart infranchissable, si ce n'est par des crans (anciennes vallées) ou des estuaires mouvants.

Omniprésente sur le littoral, l'eau est également un élément dominant des paysages de l'arrière-pays. À proximité immédiate de la grande bleue ce sont les prés salés, depuis longtemps gagnés sur la mer (mont Saint-Michel). Ils sont le royaume du mouton, friand de leur herbe grasse et épicée. Ailleurs, elle se fait marais, semblant paresser au creux de méandres vaseux, manne de canaux à hortillonnages au flux à peine décelable (hortillonnages d'Amiens). Parfois même, elle parvient à se faire oublier, feignant l'inexistence en se laissant absorber par la craie : elle s'étale alors sous la surface visible du sol en nappe souterraine.

Mises à part les Ardennes, berceau de la plus ancienne forêt française, le nord, dans sa globalité, apparaît comme sacrifié. Quelques vestiges forestiers y subsistent dans l'Orne ou dans le Perche avec des individus plusieurs fois centenaires, mais, tout autour, la forêt n'y est plus

Falaises d'Étretat, Seine-Maritime.

L'arche d'Erbenfelsen, en Moselle, trône au milieu de la forêt de Waldeck
comme une vieille ruine inca. Son grès rouge contraste avec les feuillages émeraude
des hêtres centenaires, au pied desquels les champignons foisonnent. Ce rocher
exceptionnel est classé au Patrimoine mondial de l'Humanité par l'Unesco.
C'est aussi l'un des derniers refuges du faucon pèlerin.

Partout la vie trouve son chemin ;
ce jeune arbre puise ses ressources au cœur
même de la roche.

Le vent et la pluie sculptent des
miracles : cette dentelle minérale
est lentement façonnée
sur les flancs du Grand
Steinberg, proche cousin de
l'arche d'Erbenfelsen. Le grès,
fragilisé par le gel et l'érosion,
perd un à un ses grains de
sable. À l'image des célèbres
formations géologiques de
l'Arizona ou du Colorado,
naissent alors de subtiles arches
et alvéoles.

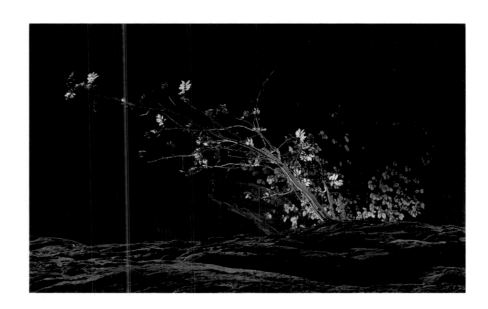

87

90

Le lac de Fischboedlé ne défraie pas la chronique des magazines touristiques.
Pourtant, une indescriptible magie émane de cette oasis nordique.
À 10 km de Munster, seuls les plus perspicaces dénicheront le petit sentier
qui mène à ses rives, depuis l'amont. Par tous les temps, ses eaux fascinent,
envoûtent et apaisent. On a peine à croire que ce lac est né des caprices
d'un industriel, à la fin du XIXᵉ siècle. Mais qu'importe, depuis la nature a repris
ses droits : le minéral et le végétal s'y mirent et s'y baignent dans une harmonie
parfaite, à 790 m d'altitude. Ne sous-estimez pas le pouvoir de ce lac !…

Double page précédente :

Des milliers de tonnes de grès échouées au beau milieu de nulle part : le Grand Steinberg
est le rocher de tous les superlatifs. Emmitouflé au creux de la forêt de Hanau, il subjugue
par ses dimensions colossales. Sur plus de cinquante mètres de long et près de vingt mètres
de haut, il ressemble à une énorme coque de navire. Des lianes pendent de ses flancs,
telles des ancres dérisoires.

La roche est noire. L'eau coule comme un drap de lin. La forêt est dense et tropicale.
L'air est chargé d'embruns et de l'odeur douceâtre de l'humus.
Les feuilles d'automne accaparent toute la lumière, comme autant de bijoux précieux.
Née d'un songe amazonien, la cascade de Nideck nargue les blasés de tous poils :
la France sauvage existe encore, jusque dans le Bas-Rhin…

Bien sages sont les paysages normands ; c'est du moins ce que l'on croit avant de se frotter aux étranges falaises du chaos de Longues-sur-Mer. Ici, pommiers et vertes pâtures ont laissé place à un paysage brut, dressé de pitons ocre, ponctué de blocs fracassés par les déferlantes.
Les trois « demoiselles de Fontenailles », derniers vestiges d'une falaise déchue, y trônent avec orgueil : elles luttent chaque jour contre l'assaut des vagues qui eurent raison de toutes leurs consœurs. Aussi vieilles que les plus vieux dinosaures, elles continuent pourtant de subjuguer quiconque les découvre aujourd'hui.

A trois kilomètres de la Hague, le vent fouette le visage du citadin qui ne sait pas encore à quoi il a affaire ; devant lui s'étale un des plus vieux morceaux du monde. Une terre si vieille, si ancestrale, que les millions d'années ne suffisent plus à en rendre compte. *De visu,* on est immédiatement transporté en Patagonie, et l'on se surprend à guetter la silhouette d'un morse ou d'un lion de mer... Mais c'est en Afrique qu'il faut chercher la vraie parenté de cette terre. La planète venait de naître, ou presque, un continent unique émergeait de l'océan primitif : le Nez de Jobourg en faisait déjà partie. Au cœur de la Pangée, il était rattaché à l'actuel continent africain, il y a quelque deux milliards d'années !

La Somme s'enorgueillit d'une magnifique baie peuplée d'oiseaux migrateurs. C'est sans doute pourquoi les splendides falaises de Bois-de-Cise restent encore si secrètes. On y accède à marée basse, en traversant l'adorable village qui semble endormi. Un escalier mène jusqu'à la grève : ici point de sable, les galets sont rois. Les parois immaculées s'élèvent jusqu'au ciel. Elles ne sont pourtant que la partie visible de l'iceberg. Plus d'un kilomètre de calcaire est enfoncé dans le sol...

L'eau peut tout : fendre des rochers, creuser des canyons, percer des grottes, abattre des falaises, mais elle peut aussi construire, maçonner, consolider ! Cet incroyable alchimie naturelle s'opère au sein des « tuffières » : c'est dans un décor de jungle du jurassique que l'édifice prend forme. Au contact d'un sol calcaire, des pluies acides dissolvent la roche, comme le ferait du vinaigre sur une craie. En s'écoulant, les eaux de pluie favorisent la croissance des mousses qui adorent ce breuvage ; mais le calcaire dissout se redépose alors sur la mousse qui se retrouve peu à peu cimentée. Une autre couche de mousse poussera sur ce nouveau « sol », et ainsi de suite… En quelques années, un simple monticule peut ainsi se transformer en petite colline. Si l'eau provient d'une source en amont, (comme ici en Haute-Marne) le phénomène peut être permanent et prend la forme d'une cascade dont les multiples marches grossissent sans cesse.

103

Les plus rudes terres d'Écosse n'ont rien
à envier à ce paysage des Ardennes :
le roc de la Tour veille dans la pénombre
sur les forêts de la Semoy.
Terre de légendes et terre de guerres
qui semble s'être imprégnée des forces
et des passions des hommes.
Comment ne pas voir ici les ruines d'un
ancien temple, les restes d'une forteresse
barbare ou d'une aire sacrificielle…
Seul le granite noir se souvient.

Cette étrange portion littorale,
où d'énormes œufs semblent s'être
fossilisés, c'est le cap Gris-Nez.
Radicalement différent du Blanc-Nez,
tout proche, le grès remplace ici la craie.
Durant cinq mille ans, la mer
a consciencieusement poli les blocs
enchâssés dans une dalle plus tendre.
Le résultat est spectaculaire.

Près de Mortagne-au-Perche, les sources de l'Eure prennent l'apparence de paisibles étangs. La forêt de Longny s'y mire avec délectation. À l'instar de la Sologne, pas un bosquet, pas une mare qui ne soit "privé"... Fort heureusement, le point de vue, lui, est à tout le monde : il n'y a pas encore de panneaux "Interdit de regarder"...

104

À Cannes-Écluse, petite bourgade de Seine-et-Marne, la lumière embrasse chaque soir la surface du marais. Dissimulés derrière un paravent de roseaux, le soleil et l'eau s'unissent lentement : les teintes chaudes et rougeoyantes de leur passion trahissent leur étreinte secrète.

Baignée d'une étrange clarté, la plage s'étire à perte de vue. La marée repousse le tumulte des vagues, jusqu'à l'horizon. Le sable se fait miroir : il s'unit au ciel pâle du Nord. Le cap Blanc-Nez s'offre enfin aux vu et aux su de tous. Le regard se brouille de quelques larmes de froid, mais le cœur bat plus fort : ici plus qu'ailleurs, se révèle l'immensité qui donne aux chevaux l'envie de galoper et aux enfants celle d'attraper le monde.

Récemment classée Réserve de Biosphère par l'Unesco, la forêt de Fontainebleau
est une merveille de diversité. Premier territoire au monde à avoir bénéficié d'une protection
officielle, en 1861 (avant Yellowstone), cette forêt concentre presque tous les écosystèmes
européens : zones humides, savanes, futaies, landes, chaos rocheux, déserts, etc.
C'est aussi le site le plus admiré de France, avec plus de douze millions de visites par an.
On y croise des arbres magnifiques, comme ce séquoia géant, ou des lieux enchantés,
comme le chaos de la Dame-Jouanne, près de Larchant.

de glace et d'eau

les hautes terres de l'est

Des confins des Vosges à ceux des Alpes, les visages de la montagne française varient en fonction du climat. Tous les massifs induisent une rigueur des températures mais leur altitude et les influences marines ou continentales qu'elles subissent les rendent toutes très différentes les unes des autres.

Les Vosges, par exemple, créent une véritable frontière climatique entre un versant lorrain et un versant alsacien. À l'ouest, la neige est très présente en hiver et peut même localement persister jusqu'à l'été (autour du Hohneck) ; sur l'autre versant, le temps est plus sec, plus ensoleillé et les paysages très différents. Les arbres ne sont pas les mêmes de part et d'autre mais ils sont partout très abondants ; la forêt recouvre 48 % du territoire des Vosges. Les Vosges sont constituées de hauts reliefs discontinus, arrondis en ballons culminant vers le sud à 1 424 mètres et de reliefs tabulaires gréseux n'excédant pas 700 mètres. À basse altitude, les champs et les prairies herbeuses dominent le paysage ; côté Alsace, le versant sec et ensoleillé a permis l'installation de vignobles. Au-dessus, les forêts de hêtres et d'épicéas débutent dès 500 m d'altitude, côté lorrain, pour 700 m, côté alsacien. À 1 000 m, la plupart des arbres disparaissent et sont remplacés, au sommet des hauts reliefs émoussés, par les hautes chaumes.

Le long de la façade orientale de la France, tous nos reliefs font frontières. Leur succession pourrait laisser croire à une origine commune, mais, au sud des Vosges, les reliefs du Jura lèvent les derniers doutes : cette roche blanche faisant plateaux ne peut être de même nature. Et si elle devait être apparentée à un autre massif, elle serait davantage à rattacher aux Alpes auxquelles le Jura doit la majorité de ses reliefs. La montagne jurassienne forme un arc de près de deux cent cinquante kilomètres de long qui déborde en territoire suisse. Elle culmine à 1 718 mètres, au crêt de la Neige et reste marquée dans ses paysages

109

Mer de Glace, Chamonix.

par l'âpreté de son climat. Le Doubs, département situé au pied de son versant ouest, est le plus froid de France. Son territoire vaste et relativement impénétrable lui autorise encore une nature libre de toute évolution. Le lynx y trouvant son dernier refuge national en est la plus belle preuve. L'ensemble du décor naturel jurassien est hérité de la poussée alpine et des glaciers qui ont travaillé ses couches jusque dans leur moindre cohésion minérale. Ses paysages sont marqués par une succession de plis plus ou moins amples, creusés longitudinalement par des combes et transversalement par des cluses. En bordure des plateaux calcaires, les reculées s'achèvent par un cirque d'où jaillissent de puissantes résurgences (sources du Lison et de la Loue, cirque de Consolation, cirque de Baume-les-Messieurs…) alors que le sous-sol est creusé de gouffres et de grottes (gouffre de Poudrey, grotte de Moidons, grotte de la Glacière, grotte de Baume-les-Messieurs). Quand elles ne s'infiltrent pas, les eaux des rivières creusent de véritables canyons ou gorges comme celles de la Langouette, profondes de quarante-sept mètres ; elles chutent également en cascades virulentes comme au Hérisson, à la Billaude ou au Saut du Doubs.

110

Lové au creux de la vallée Étroite, dans les Hautes-Alpes, le lac Vert est un véritable choc visuel. Ici la réalité dépasse la fiction. Aucun scénariste n'aurait osé colorer à ce point les eaux d'un « lac de cinéma » ; la nature, elle, l'a fait. Une algue évanescente tapisse, comme une chevelure, le fond du lac. Les eaux cristallines permettent une parfaite photosynthèse qui alimente ce vert intense. Comme de vieux éléphants, les mélèzes trouvent ici leur dernière demeure. Ils se couchent, et offrent leurs longues silhouettes noyées au regard des profanes.

Double page suivante :
La vallée Étroite.

114

Certains déserts ne sont pas de sable : le désert de Platé, sur les hauteurs
de Flaine, est de ceux-là. Sur des hectares, les lapiaz offrent un paysage pétrifié,
aux arêtes tranchantes, parcourues d'innombrables fissures.
Ces étonnantes formations géologiques résultent du travail de sape
des glaciers. Siècles après siècles, la glace a raboté, creusé, raviné le calcaire
de ce haut plateau. Le résultat est saisissant : l'impression de marcher
sur une autre planète, ou de côtoyer l'Himalaya…

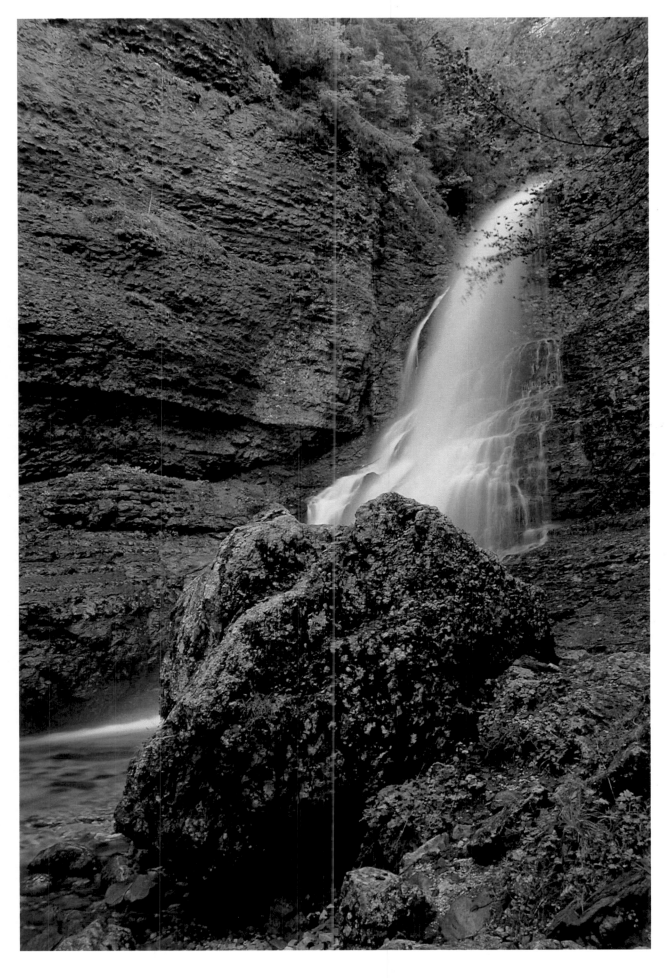

Le cirque de Saint-Même, dans le parc naturel régional de Chartreuse, abrite de somptueuses cascades. Le Guiers Vif, qui prend source au sommet du cirque, dévale avec fougue les mille mètres de dénivelé qui le séparent de la vallée. L'eau glacée tombe avec fracas dans d'étroites gorges bleutées.

D'une lenteur infinie, le glacier des Bossons étale la plus grande cascade de glace d'Europe. Comme un volcan figé par un mystérieux enchantement, son énorme langue immaculée exhibe ses crevasses et ses reliefs hirsutes.

118

Les moraines glaciaires ont également fait du Jura le pays des lacs puisqu'on en compte plus de soixante-dix. L'origine latine de son nom (*juria*, forêt) traduit un autre grand trait de ce massif ; le Jura est le pays de la forêt, avec près de 40 % de terres boisées. Les sommets situés au-dessus de mille mètres sont colonisés par les épi-céas et ce n'est qu'au-dessous que prospèrent les puissantes forêts de sapins, localement appelées les joux. Plus bas, ils sont relayés par les feuillus puis par les cultures où se mêlent quelques vignobles.

Sitôt achevés les reliefs du Jura, il suffit de traverser le lac Léman pour trouver ceux des Alpes savoyardes. La transition est difficilement visible au premier regard, sinon par le cours du Rhône qui occupe une brève dépression. La chaî-ne alpine est d'une rare complexité et les pay-sages en sont rendus par là même d'une grande

pluralité. Son arc étendu sur plus de mille kilo-mètres est le plus vaste domaine des neiges éter-nelles françaises. Le mont Blanc y constitue le toit de l'Europe à 4 807 m d'altitude. Les plus hauts massifs de l'est alpin forment ce que l'on appelle les Alpes externes, en opposition avec les Alpes internes, à l'ouest. Mais, au-delà de la nature et de l'origine des roches, ce sont les dif-férences de climats qui façonnent l'ensemble de ces paysages. Dans beaucoup d'esprits, les Alpes se limitent à leurs paysages du nord : domaines skiables, torrents de montagne, glaciers y sont des clichés typiquement alpins. Les glaces éter-nelles y occupent, en effet, près de quatre cents kilomètres carrés (Bossons, Argentière, mer de Glace…), les cirques glaciaires sont les fleurons des paysages de bordure, les torrents dévalant des massifs de la Vanoise, de Belledonne, de Tarentaise, de Maurienne ou des Écrins y sont

Des millions de tonnes de glace, sur plusieurs dizaines de mètres d'épaisseur engloutissent tout sur leur passage. Une puissance phénoménale, un spectacle éblouissant, à quelques heures de marche de Chamonix.

119

impétueux à souhait ; mais la chaîne ne saurait être réduite à ces seuls paysages grandiloquents. Les plateaux du Vercors et des Baronnies, les falaises calcaires de l'Ubaye, les Préalpes de Grasse, les monts du Luberon ou les reliefs du Mercantour représentent tout autant les Alpes et constituent l'essence même de leur diversité. Le Var, le Verdon, la Durance ou la Vésubie s'ajoutent au Drac, à l'Isère ou à l'Arc dans le cortège des rivières alpines. Les unes se descendent en raft, les autres en barque ou en kayak, mais toutes baignent l'immensité très souvent préservée de ce temple de la nature.

Les régions alpines jouissent d'une protection maximale en France ; près de la moitié des parcs nationaux s'y concentrent. Le parc national de la Vanoise est leur vétéran. Créé en 1963, il est le plus ancien parc national français. Il jouxte la frontière italienne avec laquelle il communique par le parc national du Grand Paradis. À eux deux, ils couvrent 1 250 km² : le plus grand espace protégé d'Europe occidentale. Il est situé au cœur des Alpes et s'étend de la vallée de la Maurienne à celle de la Tarentaise. Cent sept sommets y culminent à plus de trois mille mètres et une vingtaine de glaciers les recouvrent. Protégé des influences océaniques par les Préalpes et le massif de Belledonne, il est relativement sec et bien ensoleillé. Sa richesse floristique (plus de mille deux cents espèces) est héritée de la grande période glaciaire du quaternaire, mais la forêt couvre moins de 1 % de sa zone centrale. Sur ces massifs élevés, ce sont les caprins qui sont rois : deux mille bouquetins et plus de cinq mille chamois cohabitent. Seuls les premiers descendent près des zones boisées à l'arrivée du printemps et pourront être aperçus depuis les cinq cents kilomètres de sentiers du parc.

Aux pieds des Grandes Jorasses et de l'aiguille du Tacul, la mer de Glace est le glacier vedette des Alpes françaises. Une étape incontournable, accessible grâce au petit train à crémaillère du Montenvers. Sur près de 7 km, cet immense fleuve sinueux s'exhibe chaque année à des millions de regards.

Plus au sud, le parc national des Écrins est le siège de la première réserve intégrale de France. C'est un territoire de haute montagne qui culmine à 4 102 mètres. Plus de cent sommets y dépassent les trois mille mètres pour des vallées situées autour des mille mètres d'altitude. Dix-sept mille hectares de glaciers y sont encore présents. Géologiquement, les roches sédimentaires (calcaires, schistes, grès) recouvrent un socle ancien magmatique et métamorphique (granite, gneiss). Pas étonnant donc que le massif n'autorise qu'une biologie de l'extrême. D'ubacs (versants nord) en adrets, plus de mille huit cents espèces végétales y ont été recensées dont huit cents sont protégées. Côté forêts, celles de mélèzes restent les plus abondantes du paysage des Écrins. Trois cent vingt espèces de vertébrés, très représentatives de la faune alpine, y apparaissent comme des symboles : chamois, bouquetins, marmottes… Tout aussi suivie, la population d'aigles royaux la mieux implantée en France et le tétras-lyre dont la protection devient urgente. L'enjeu majeur des membres du parc national des Écrins reste la biodiversité.

121

Plus sauvage, le glacier des Bossons se laisse aussi plus facilement approcher. Mais le monstre est dangereux : ne vous aventurez surtout pas dans son lit !

Depuis le sommet de l'aiguille du Midi, la perspective sur la vallée Blanche et les aiguilles des Périades est époustouflante.

La combe des Thures, sur les hauteurs de Névache, au nord de Briançon,
a le souffle des grands espaces américains. La montagne mise à nu par la neige
et le vent livre des teintes insoupçonnées. L'ocre et le jaune des argiles
répondent au gris bleuté de l'ardoise et du granite.

126

Le parc naturel régional du Vercors (Drôme, Isère, 175 000 ha, création : octobre 1970) est cette zone de hauts plateaux calcaires limitée par les cours de la Drôme, du Drac et de l'Isère, entaillée de gorges, de cirques et de grottes aux décors souvent vertigineux. Nombre d'entre eux atteignent une renommée internationale, comme c'est le cas pour les grottes de Choranche ou le mont Aiguille. Le parc accueille également la réserve naturelle des Hauts Plateaux du Vercors, la plus grande de France (17 000 ha). Cette immensité préservée est recouverte de forêts (pins à crochets, épicéas) et de pelouses subalpines d'une richesse botanique en rapport avec la diversité climatique. Son emblème, la tulipe sauvage, y fleurit les pelouses calcaires des verts pâturages. Ce rôle pourrait également revenir au tétras-lyre dont la population y est particulièrement abondante. Au Grand Veymont, le plus haut sommet du Vercors, le parc couvre la seule zone régionale où se déve-

loppe l'étage alpin (2 341 m). L'ensemble du massif est survolé par un grand nombre de rapaces attirés par les falaises et les grands espaces de transhumance (chaque été, quinze mille bêtes sont conduites en estive).

Le nord-est de la France n'est pas en reste. Le parc naturel régional des Ballons des Vosges (Haut-Rhin, Vosges, Haute-Saône, Territoire de Belfort, 300 000 hectares, création : juin 1989) s'y étend autour des plus hauts reliefs du massif des Vosges et des Grands Ballons, et accueille la plus grande forêt naturelle française. Du côté alsacien, le relief est plus escarpé et parsemé de nombreux lacs glaciaires. Gneiss, granite, roches volcaniques, grès et calcaire forment autant de sols différents où une flore extrêmement diversifiée a pu s'installer. Côté faune, l'hôte des forêts vosgiennes reste le lynx, qui y cohabite avec de grands animaux (cerfs, chamois, chevreuils, sangliers…).

À 10 km d'Annecy, les gorges du Fier connurent leurs heures de gloire au début du XXᵉ siècle. Depuis, leur notoriété s'est un peu émoussée, mais qu'importe, le site n'en est pas moins exceptionnel : un étroit chenal de soixante-dix mètres de profondeur, que la lumière pénètre avec peine, au fond duquel le torrent gronde en de multiples bouillons et autres marmites de géants. Des passerelles, accrochées au-dessus du vide, permettent de profiter du spectacle. On ne compte plus les animaux et les imprudents qui y périrent au cours des siècles…

Bien moins célèbre que Gavarnie, le cirque du Fer-à-Cheval soutient pourtant la comparaison. Au cœur de la plus grande réserve naturelle de France, et à quelques minutes de l'adorable village de Sixt-Fer-à-Cheval, il est classé Grand Site national. Dominé par la pointe de Finive, le grand mont Ruan et la pointe de Bellegarde, il est sillonné par les jeunes eaux du Giffre. Chamois et bouquetins trouvent refuge toute l'année le long de ses parois de 700 m de haut.

132

134

Ambiance de forêt humide tropicale, paradis des lichens, le cirque de Consolation,
dans le Doubs, est d'une exceptionnelle beauté. Comme un jardin japonais,
il est agrémenté de sentiers, de bancs, de petits ponts, de pierres empilées...
Il conserve cependant tout son caractère sauvage grâce à sa végétation prolifique
et ses multiples torrents.

La forêt obscure du cirque de Saint-Même (Isère).

Les étonnantes gorges de Langouette (Jura) sont le royaume de la fougère scolopendre, une espèce caractéristique des étages montagnards humides.

Double page précédente :

Le mont Aiguille, une des sept merveilles du Dauphiné,
toise les villages de Clelles et de Chichilianne, du haut de
ses 2086 m. Ce splendide monolithe de calcaire
est le vestige d'une mer du crétacé.

139

Cascade du Gournier, sur le site de la grotte de Choranche, en Isère.

Le Grand Saut, dans le Jura, est l'une des trente
et une cascades qui ponctuent le cours
tumultueux du Hérisson. L'eau franchit d'un seul
coup une vertigineuse marche de soixante mètres,
au centre d'un petit cirque.

La haute vallée de la Clarée incarne le plus beau visage des Alpes.
Une montagne extraordinairement colorée par l'automne, vierge de toute
infrastructure moderne, à laquelle on avait fini par ne plus croire.
Et pourtant, cette vallée paradisiaque existe bel et bien ;
Névache, Val-des-Prés, Plampinet, ses villages chantent comme des poèmes.
Des prairies du Verney aux crêtes des Muandes,
la nature s'y exprime comme nulle part ailleurs...

140

Double page suivante :

La cascade de Baume-les-Messieurs (Franche-Comté)
est une formidable illustration des cascades de tuf : herbes et mousses
forment un manteau uniforme sur lequel l'eau glisse en drapés majestueux.

de bois et de feu

les terres du centre

Au centre de la France, le Massif central s'érige en montagne d'altitude modeste. Il marque de son influence tout aussi bien les contrées de la Sologne et de la Brenne, du Bourbonnais et du Morvan, du Limousin et du Périgord que celles de l'Auvergne et des Grands Causses. Partout, les oppositions de paysages y forment une mosaïque prestigieuse où la nature règne en maître incontesté. Les sols solognots et brennous doivent au régime des eaux le complexe enchâssement des étangs et forêts. Il en résulte une admirable succession de landes tourbeuses, de marais à saules, et de bois. Ancestralement déboisée, la forêt de Sologne ne présente plus guère de grands arbres séculaires. Ceux-ci ont persisté plus au sud dans le Bourbonnais, dans l'admirable forêt de Tronçais. Là, les neuf vénérables de la célèbre chênaie Colbert y atteignent l'âge plus que canonique de trois cents ans. La proximité des premiers reliefs y ajoute un cortège de sources aux eaux bienfaisantes (Vichy). Au nord-est, le Morvan constitue la proue du Massif central ; cette « montagne noire », recouverte de forêts denses aux essences variées, ne dépasse pas neuf cents mètres d'altitude. L'eau, toujours abondante, interrompt son calme forestier de cascades et de gorges très découpées. Ses reliefs sont relayés au sud par les monts du Charolais et du Mâconnais, dont les arêtes calcaires (roche de Solutré) dominent les vastes étendues viticoles du Beaujolais. C'est par le Livradoy-Forez que se fait le passage vers les terres volcaniques de l'intérieur du Massif central. Les pâturages vallonnés y échappent à la monotonie par des môles granitiques semblant jaillir de terre et par des gorges localement très encaissées. Passés les monts du Forez et le vaste fossé de la Limagne dans lequel s'est installé l'Allier, l'Auvergne et ses cimes enneigées font figure de mont Blanc local. Dans la chaîne des Puys, une centaine de dômes volcaniques conjuguent couleurs vives et formes paresseuses, alors que plus

Puy de la Vache, Auvergne

au sud, les vieux volcans du Mont-Dore et du Cantal sont de véritables montagnes aux sommets hérissés de pointes rocheuses. Les altitudes y avoisinent les deux mille mètres et leur confèrent une ambiance alpine où règne un climat de haute montagne. Dans les vallées, les anciennes coulées de lave (cheires) sont recouvertes de forêts (cheire du puy de Côme) et ont entraîné la mise en place de lacs par barrage. Jamais bien étendus, ils se joignent aux tourbières pour former des paysages de prés humides. Ces dernières sont des milieux très particuliers : alimentées par les seules eaux de pluie, elles sont légèrement acides, très pauvres en sels minéraux, matières organiques et oxygène dissout. Les végétaux qui s'y développent forment un radeau flottant sur les eaux d'un lac dérobé. On y trouve des plantes carnivores telle la droséra, capable de digérer

146

deux mille insectes en un été, des sphaignes formant de petites buttes s'élevant au-dessus des eaux, puis de nombreuses espèces de saules et de bouleaux sur les zones les moins humides.

La lisière occidentale du Massif central est occupée par les terres schisteuses et granitiques du Limousin et celles calcaires du Périgord. D'apparence montagnarde, le premier s'étend sur les départements de la Haute-Vienne, de la Creuse et de la Corrèze. Toutes ses rivières prennent leur source sur le plateau de Millevaches, à près de mille mètres d'altitude, et atteignent souvent l'impétuosité des torrents de montagne, à l'image des cascades de Gimel et Murel. Au sud, les monts de Lacaune, les granites du Sidobre et la montagne Noire marquent la transition vers la plaine du Languedoc. Le second est situé à la frontière de l'Auvergne et de l'Aquitaine et jouit d'un climat plus doux sous influence nettement atlantique. Le Périgord noir tire son nom des vastes massifs forestiers qui recouvrent ses plateaux. La Dordogne, descendue des monts auvergnats, a perdu sa fougue et flâne en larges méandres boisés, alors que la Vézère caractérise les paysages de falaises blanches creusées de grottes et de maisons troglodytes. Le Périgord blanc, fait de coteaux et prairies, est un pays beaucoup plus calme et monotone, où la parure forestière est très éparse et localement parsemée d'étangs. Le sol sableux annonce les Landes, et les ceps de Bergerac le vignoble aquitain.

Au sud-est, le Massif central se termine par les Cévennes (Ardèche, Lozère et Gard). La Margeride et les causses forment un trait d'union vers les terres du sud de la France. La Cèze, le Tarn, la Jonte, la Dourbie ou le Gardon y entaillent des calcaires massifs en gorges méandriformes très propices aux sports d'eaux plus ou moins vives. Le sol complètement perméable ne sait retenir l'eau en surface et les paysages sont d'une surprenante aridité, à l'image des chaos de Montpellier-le-Vieux, sur le causse Noir, et Nîmes-le-Vieux, sur le causse Méjean, ou du plateau désertique du Larzac. L'eau est emmenée plus en profondeur dans un sous-sol creusé de multiples cavités riches en concrétions (aven Armand, grotte des Demoiselles, aven d'Orgnac, grotte de Bramabiau). ▸

Plateau de Charlannes, Auvergne.

149

Les eaux immobiles du lac de Guery.

Crépuscules sur les volcans d'Auvergne.

Sur la façade orientale du Massif central, le parc national des Cévennes apparaît comme le seul parc national français de moyenne montagne. Sa zone centrale est exceptionnellement peuplée de six cents habitants, entretenant les hautes terres, du mont Lozère au mont Aigoual et des grands Causses aux vallées cévenoles. Il est également le seul parc forestier en métropole (1 500 km² de forêt). Cet équilibre séculaire qui unit l'homme à la nature est l'une des particularités plutôt séduisantes du parc des Cévennes puisque cette conciliation entre protection et développement lui a valu la distinction de « réserve de biosphère » par l'Unesco.

Il arbore une variété floristique exceptionnelle (2 650 espèces) en rapport avec les diversités climatiques (du climat océanique à méditerranéen), géologiques (granite, calcaires, schistes) et altitudinales (étagement entre 378 et 1 699 m). Aussi, espèces polaires et subtropicales parviennent à se côtoyer sur les quatre-vingt-douze mille hectares de la zone protégée.

La multitude des biotopes présents dans le parc induit une faune de plus en plus abondante. Les Cévennes sont une des régions européennes où la remontée biologique a été la plus spectaculaire. Écarté de toute agriculture intensive et de traitements chimiques, l'ensemble du parc consti-

150

Surplombant le causse Noir et les gorges de la Dourbie, le chaos ruiniforme de Montpellier-le-Vieux ne laisse personne indifférent. Ici flotte l'odeur du maquis, dans un dédale de roches encore tièdes à la tombée de la nuit. L'horizon s'étale à l'infini sur des paysages épiques.

tue aujourd'hui un précieux refuge pour de nombreux animaux par réintroduction (vautours fauve et moine, castor, mouflon, grand tétras...) ou recolonisation naturelle (aigle royal, loutre, chouette de Tengmalm, grenouille rieuse...). Pour jauger cette incroyable richesse, le parc des Cévennes est doté de la plus grande densité de sentiers de randonnée en France.

Au centre du Massif central s'étend une terre de lave que protège le parc naturel régional des volcans d'Auvergne (Puy-de-Dôme, Cantal, 395 068 ha, création : octobre 1977). Cette immensité de cratères forme le plus grand parc naturel régional de France. Aujourd'hui, ses teintes feu sont recouvertes de vertes prairies herbeuses sur les reliefs et de vastes forêts sur les anciennes coulées volcaniques (cheires). On y distingue quatre grands ensembles, du nord au sud : la chaîne des Puys (ou monts Dômes), les monts Dore, le Cézallier et le Cantal.

La chaîne des Puys est constellée de quatre-vingts jeunes volcans, dont le plus haut est, pour cette région, le puy de Dôme (1465 m). Cratères emboîtés du puy de Côme, cratères égueulés des puys de la Vache et de Lassolas, lac Pavin... y sont des stars mondialement renommées. Les Monts-Dore, inscrits dans un volcanisme plus ancien, hébergent les plus hauts reliefs du Massif central (puy de Sancy : 1 886 m) avec des paysages de type alpin. Ils sont l'écrin de la formidable réserve naturelle de la vallée de Chaudefour, fabuleux cirque glaciaire hérissé de pitons rocheux remarquables, entaillé de cascades, parcouru de rivières et de sources ferrugineuses aux teintes insolites, fréquenté par une population prestigieuse de bouquetins et de mouflons et tapissé d'espèces végétales rares. Le Cézallier est un haut plateau basaltique, culminant à 1551 m. L'ancien volcan est aujourd'hui une dépression occupée par de nombreux lacs et tourbières.

152

Il est des lieux dont l'image vous revient toute votre vie ; le lac Pavin a cette faculté.
C'est plus qu'un lac : c'est un monde en soi, une parenthèse dans le temps
et dans l'espace. L'eau occupe la bouche d'un volcan qui explosa voici quatre mille
ans. Ses abysses descendent à plus de 90 m de profondeur. Mais c'est sa forme
circulaire et la majestueuse forêt qui l'entoure qui lui donnent sa véritable dimension
mystique. Merlin, Arthur et les autres ne sont pas de Bretagne, mais d'ici ;
il ne peut en être autrement. Chaque parcelle de ce territoire respire la magie.

Près de Meyrueis, Bramabiau
n'est ni une grotte, ni un aven,
mais un authentique « abîme » :
de sa gueule béante jaillit
le Bonheur, rivière souterraine
qui prend sa source dans les
entrailles de la terre.
Quelque sept cents mètres
de galeries aménagées permettent
de pénétrer dans ce fabuleux
monde obscur.

Au panthéon des avens, Orgnac, en Ardèche,
est sûr d'avoir sa place. Grande comme une
cathédrale, la salle principale est ornée
d'énormes stalagmites (certaines mesurent plus
de vingt mètres de haut !) qui semblent s'ouvrir
comme des fleurs. Plus bas, de magnifiques
drapés tombent du plafond comme des rideaux
de théâtre. Contrairement aux grottes dont
l'accès est matérialisé par une caverne
ou une galerie en pente douce, on entre dans
un aven par un trou dans le « plafond » de la
cavité. Aussi retrouve-t-on systématiquement
des ossements d'animaux morts d'une chute
accidentelle dans ces oubliettes naturelles…

156

Blottie dans la forêt du Mont-Dore, la cascade de Queureuilh peut très bien passer inaperçue. Son superbe panache de trente mètres de haut, qui jaillit depuis le sommet d'une paroi de basalte noir, est pourtant saisissant. Immédiatement en aval, c'est un milieu quasi tropical qui accueille ses eaux pures ; tout n'est que contraste et brillance dans un foisonnement de chlorophylle et de roches.

L'Auvergne est une authentique terre sauvage. Pour preuve, ces paysages
extraordinaires du puy de la Vache, un volcan du type strombolien.
Qui pourrait croire que sa dernière éruption eut lieu il y a 7 500 ans ?
Les scories et les bombes jetées çà et là semblent encore chaudes…
Seuls les volcans, toujours actifs, d'Islande pourraient offrir un tel spectacle.
Lorsque le ciel d'un bleu intense s'oppose aux teintes rougeâtres du magma pétrifié,
l'émotion est à son comble : on a vraiment du mal à en croire ses yeux !

159

Certaines tourbières sont aménagées et permettent de découvrir le monde extraordinaire des plantes carnivores. Le Cantal est le plus grand stratovolcan d'Europe. Raboté par les glaciers du quaternaire, tout cratère a complètement disparu. Il se compose aujourd'hui de vastes vallées bocagères et de hauts plateaux (planèzes de Salers et de Saint-Flour). Les reliefs y sont tout de même encore très bien marqués avec les puys Mary et Griou ou le Plomb du Cantal (1 855 m).

Plus au sud, les volcans s'estompent sans toutefois disparaître (on trouve des volcans jusqu'en Languedoc, au Cap-d'Agde). Ils sont remplacés par un ensemble de hauts plateaux où l'on a implanté le parc naturel régional des Grands Causses (Aveyron, 315 600 ha, création : 1995). Il couvre le sud du département et est relayé au sud-ouest par le parc national des Cévennes et au sud-est par le parc régional du haut Languedoc. Comme son nom l'indique, il protège les différents écosystèmes des puissants causses calcaires ainsi que leurs traditions pastorales. De puissantes gorges séparent les causses les uns des autres : la Dourbie, la Jonte et le Tarn isolent le causse Noir, le causse Méjean et le Larzac. Le ciel des grands Causses est le domaine des grands rapaces qui sont nombreux à nicher dans leurs falaises. Le parc protège également un endémique fameux : le Roquefort, fromage élaboré à partir de lait de brebis et de penicillium, dans les caves naturellement creusées dans le causse du Larzac au cours de l'ère quaternaire.

La descente est rude ; le sentier étroit et glissant serpente parmi les hêtres ;
le fond de ce vallon obscur se rapproche peu à peu. Prise en étau par deux falaises,
la Cère s'écoule en petits rapides dans ces gorges mystérieuses :
le Pas de Cère. Bien que distantes de centaines de kilomètres, ce sont les Alpes qui
engendrèrent cette faille dans le plateau du Cantal, à l'ère tertiaire. Depuis, s'y est
développé un écosystème sorti d'un autre âge : d'épais tapis de mousses colonisent
troncs et rochers, les arbres poussent en tous sens, accompagnant
les mouvements du terrain, les coléoptères se régalent des souches pourrissantes, et
l'automne dépose un peu partout ses perles d'or...

162

Dans le Sidobre, le granite poli par les eaux du Lignon,
au Saut de la Truite, semble appartenir à une île exotique.

163

C'est au cœur de la Corrèze que les cascades
de Gimel déferlent fougueusement sur un lit
de granite. Le « Grand Saut » donne le ton
en chutant de quarante-cinq mètres ; en aval,
la « Redole » prend le relais avec son jet
de trente-huit mètres ; enfin, une gigantesque
« Queue de Cheval » de soixante mètres
achève ce fabuleux triptyque sauvage…
C'est sur le parcours aménagé du parc Vuillier
que l'on découvre ces merveilles.

Lorsque la lave en fusion finit par se refroidir dans la bouche d'un volcan,
se cristallisent ces orgues de pierre que l'érosion du cône volcanique dévoile
peu à peu. C'est en Haute-Loire, tout près d'Arlempdes et de Goudet,
que surgit au détour d'une route, cette magnifique formation géologique :
une véritable petite montagne brune finement ciselée par les forces du feu.

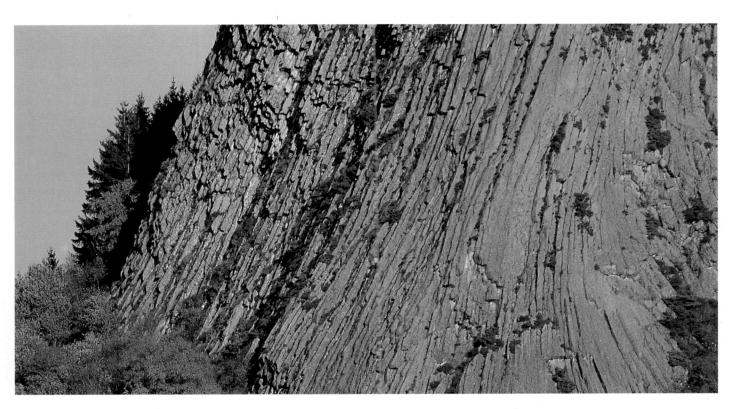

Tuillière et Sanadoire, deux célèbres pitons qui se font face dans le cirque
du Chausse (Puy-de-Dôme), sont étonnamment sculptés : il s'agit en fait
de deux volcans, maintenant débarrassés de leur écorce initiale. Comme en Haute-
Loire, les orgues volcaniques apparaissent dans toute leur splendeur.

168

La tourbière auvergnate du Cézalier nous mène tout droit en Sibérie.
Ses immenses étendues rousses, caressées par les vents, paraissent infinies ;
pas âme qui vive, sinon quelques chevaux que l'on imagine sauvages…
Une force inexplicable émane de cette nature toute crue, sans artifice ni superflu.
Mais c'est aussi un redoutable piège. Hommes et bêtes s'enlisent dans la tourbe
comme dans des sables mouvants. Les hautes herbes ne font que masquer
une énorme masse d'eau, un véritable lac colonisé par une végétation instable.
Chaque pas devient alors une roulette russe…

Double page précédente :

La cascade de Ray-Pic, en Ardèche, étale sont panache d'écume sur les prismes
basaltiques du volcan des Faliouses, éteint depuis des millions d'années.

170

Dans les gorges de la Franche-Valonne chantent les cascades de Murel. Le lit de gneiss et de granite aux teintes sombres sillonne un sous-bois humide et escarpé. La Corrèze fut autrefois une montagne ; aujourd'hui rabotés, seuls quelques forts dénivelés témoignent encore de ces temps révolus. C'est dans l'une de ces dépressions que le torrent dévale en cascades pour rejoindre la Souvigne.

Les gorges de l'Ardèche expriment toute leur puissance au lieu dit Le Gournier ;
trente millions d'années auront été nécessaires pour que la rivière creuse ce canyon
de 32 km, dont les falaises atteignent 300 m de haut ! Les parois calcaires, zébrées
de traînées d'oxydation, réfléchissent, tels des miroirs, les rayons du soleil.
La perspective est fabuleuse : curieux paradoxe que cette impression d'immensité
au sein même d'un couloir de pierre.

174

L'arche de Vallon-Pont-d'Arc est une des plus belles formations naturelles d'Europe : elle témoigne de la force des crues de l'Ardèche qui, lentement mais sûrement, ont percé cette porte de trente mètres de diamètre.

En plein pays des causses, le Tarn continue d'élargir son lit. Au sortir des Détroits, près de La Malène, il semble s'être assoupi. C'est le calme avant la tempête : quelques brasses en aval, ses eaux déferleront en rapides tonitruants.

Un très vieux chêne veille sur l'étang
de la Mer Rouge, en Brenne.

Moins inaccessibles que les Tépuis du
Venezuela, les Tranchades sont tout aussi
incroyables. Dissimulées dans une petite
forêt, près de Condat, ces étroites entailles
humides forment un labyrinthe sombre et
silencieux, où de vieux arbres viennent
s'échouer dans un chaos surréaliste.
De l'eau goutte et ruisselle en
permanence. Une nappe verte semble tout
digérer, tout recouvrir : la mousse y atteint
d'incroyables épaisseurs…

177

de roc
et de sable
les terres de l'ouest

De la péninsule armoricaine à la plus méridionale des terres aquitaines, l'océan Atlantique sublime tout le littoral. Les caps rocheux de Bretagne, tout comme les vasières charentaises ou les interminables dunes landaises conjuguent immensité et pluralité. Jamais monotone, la façade occidentale de l'hexagone est riche de mille paysages, où l'indestructible côte bretonne contraste avec le mobilité et la malléabilité des sables aquitains. Rades, baies et pointes sont l'apanage de la première ; plages, forêts et vignobles caractérisent plutôt les seconds. La description est certes un peu réductrice, mais le fait est que l'on ne trouve pas plus de vin en Bretagne que de pointes granitiques battues par les déferlantes dans les Landes.

Si l'Argoat breton fut, au Moyen Âge, le pays de la forêt, l'arbre n'y a plus vraiment sa place dans le paysage. Il persiste dans des lambeaux de forêts d'exception, telle celle de Paimpont, la médiévale Brocéliande. Un paysage de bocages et de landes à ajoncs s'est progressivement substitué aux immensités forestières. Pour trouver désormais chênes et hêtres, il faut s'enfoncer plus à l'est, sur les territoires de la Touraine et de la Sologne. La Bretagne puise donc sa force ailleurs, dans l'Armor, le roc granitique qui, dans le Finistère, fait proue au-dessus des flots tempétueux. Ses paysages déchiquetés lui confèrent une très forte personnalité. Grandioses et vigoureux, ils sont le symbole même des grands espaces emplis d'embruns épurateurs. La Bretagne minérale s'estompe vers le sud. Le golfe du Morbihan apparaît comme une transition vers la Vendée puis le littoral du bassin d'Aquitaine. Les étendues vaseuses, véritables temples de la conchyliculture, alternent avec des plages dont l'immensité prend tout son sens après l'estuaire de la Gironde. Là, forêt, dune et océan entretiennent une étroite complicité. Ce qui fut longtemps un marécage inhospitalier est, depuis le XIXᵉ siècle, une vaste étendue de pins de plus d'un

Plage de St-Nicolas-des-Glénan, Finistère.

million d'hectares, protégeant quelque deux cents kilomètres de plage par une fixation du sable. Le bassin d'Arcachon fait alors figure de mer intérieure, rompant la rectitude de la côte d'Argent. Au sud, le paysage longiligne dissimule rivières et lacs d'arrière-dune où la nature s'exprime sous forme de forêts-galeries aux ambiances de mangroves. La transition entre lande gasconne et Pays Basque se fait progressivement par la zone mollement ondulée des «Prépyrénées». Les collines recouvertes de prairies verdoyantes annoncent la proximité du relief. Longues de près de quatre cent cinquante kilomètres, les Pyrénées débutent sur la façade atlantique dans le Pays Basque et se terminent en Méditerranée par les Albères. Les paysages des Pyrénées centrales sont marqués par les plus hauts sommets (pic du Midi d'Ossau, pic Mont-

calm, le Marboré…) ainsi qu'une prédominance de vallées transversales difficilement franchissables. Tantôt à fond plat (en auge), tantôt entaillées de gaves, de gorges (gouffre d'Enfer, Cauterets), de grottes (Betharram) ou de cirques (Gavarnie, Troumouse), chaque vallée y apparaît comme une unité indépendante, souvent coupée de ses voisines droite et gauche mais plus en relation avec la plaine aquitaine, située en contrebas (Bigorre, Comminges, Couserans). Les neiges éternelles y occupent trente kilomètres carrés et contrastent ainsi fortement avec les Pyrénées atlantiques et orientales. À l'est du Puymorens, la chaîne des Pyrénées est interrompue par la Méditerranée. Elle confère au Roussillon un climat ardent que la Têt et le Tech, descendus des derniers reliefs, ne parviennent à tempérer que par des crues violentes.

180

Le Val sans Retour, dans la forêt de Paimpont, est un fief de la légende arthurienne ; on y découvre des landes aux couleurs irréelles, propices à toutes les rêveries.

La mythique forêt de Brocéliande.

182

Le réservoir de Saint-Michel, près de Brennilis,
est le territoire de l'Ancou, le passeur de la mort...

La tourbière de Libist, dans le Yeûn Elez, est un prélude à l'enfer,
dont la porte légendaire est située quelques centaines de mètres au sud.

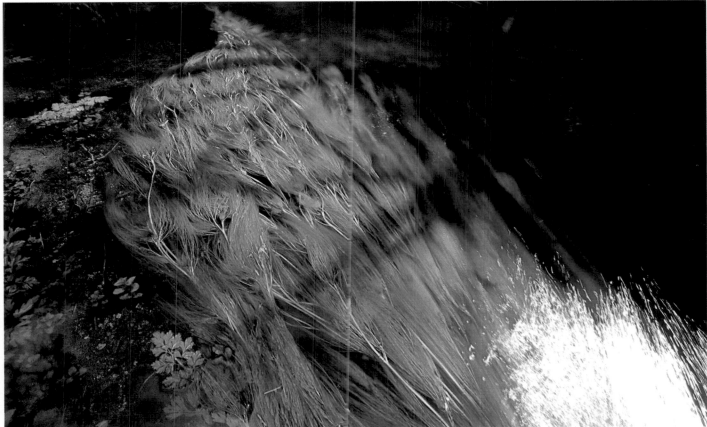

La rivière d'Argent traverse la forêt de Huelgoat.

Concilier développement touristique et sauvegarde du milieu naturel n'est jamais chose facile. Cela devient un véritable casse-tête quand la façade littorale atteint près de mille neuf cents kilomètres. Les côtes du littoral breton offrent une grande diversité de paysages et de milieux, mais l'habitat traditionnellement dispersé et le mitage par les cabanons ou caravanes menacent les sites et empêchent la protection de grands espaces naturels.

Des dunes, landes, pointes rocheuses ou zones humides, seuls 8 % de la façade maritime sont aujourd'hui la propriété du Conservatoire du littoral de Bretagne. Parmi eux, vingt et un hectares des rochers de Ploumanac'h sont entretenus par la municipalité de Perros-Guirec. Le site doit rester intact malgré les sept cent mille estivants.

Plus au sud, en Aquitaine, la façade atlantique s'étend sur plus de cinq cents kilomètres de côtes sableuses et rectilignes. Cette monotonie apparente cache des sites d'intérêt écologique majeur qui sont restés relativement préservés. Une multitude de lacs, étangs et marais s'étendent parallèlement au rivage. L'implantation de forêts domaniales aura su épargner une très large partie du littoral d'une urbanisation forcenée. Dans le bassin d'Arcachon, la dune du Pilat est l'un des grands sites nationaux classés acquis en partie par le Conservatoire du littoral (28 ha). La commune et le département y ont mis en place une gestion à long terme de la dune et de sa forêt.

189

Toute l'âme celtique semble s'être incarnée dans ce petit morceau de la Bretagne intérieure. Huelgoat est l'un des tout derniers bastions du merveilleux : chaos gigantesques, grottes, passages souterrains, mégalithes, cascades et bassins enchantés, chênes multicentenaires, autels païens, roches sacrées, tout y est comme dans un vieux livre de contes.

La vallée de l'Aff, au sud de Brocéliande, est le refuge des naïades et des elfes... Un authentique petit coin de paradis.

Lorsque la nuit tombe sur le Yeûn Elez, certains voyageurs égarés deviennent fous :
ils errent à la recherche de leur route, et entendent le crissement des roues
de la charrue de l'Ancou qui vient chercher leur âme !...

190

Les landes du Cragou forment une très belle réserve naturelle, près du cloître
St-Thégonnec. Ces terres désolées abritent une faune et une flore caractéristique
des landes humides et des tourbières. À mi-chemin entre les plaines africaines et les
steppes de Mongolie...

Double page suivante :

Un génie pétrifié veille sur les monts d'Arrée, au Roc'h Trévézel.

«Ô, combien de marins, combien de
capitaines… » ont affronté la célèbre
pointe du Raz, et sont venus s'échouer
dans la baie des Trépassés ?
À l'extrême ouest de la Bretagne et du
continent européen, ce Grand Site national
semble indestructible : peut-être à cause
de sa roche très dure, qui date de l'ère
primaire, ou de ses récifs acérés que la
mer n'arrive pas à émousser…

194

195

C'est à Ploumanac'h que la côte de granite rose est la plus admirée. Une fabuleuse succession de boules et de lingots amoncelés, sillonnés de bras de mer qui rejoignent le port. Le granite, d'ordinaire si rude, y semble presque tendre. Tout y est courbes et rondeurs, comme pour se prêter à la caresse.

La dune du Pilat, en Gironde, est un véritable écosystème désertique.
Chaque année, le sable gagne un peu plus sur la forêt littorale.
Avec plus de 100 m de haut, la dune engloutit tout sur son passage.
Sur un demi-kilomètre de long, elle fait face à la réserve naturelle du banc d'Arguin
où le sable affleure sous l'océan Atlantique.

Double page précédente :

Un havre de silence, où le vert règne en maître. Le marais Poitevin, près de Niort,
s'explore en canoë ou à bord de barques traditionnelles. Ici, même les vaches
sont transportées sur des embarcations à fond plat, jusqu'à leur parc.
Les canaux s'entrecroisent en d'infinies combinaisons,
formant un réseau de milliers de kilomètres sur 15 000 ha.

En amont du vertigineux gouffre d'Enfer, en Haute-Garonne,
le torrent s'insinue dans de superbes petits canyons.

199

La campagne, près d'Angoulême, est criblée de trous, cuvettes et autres fosses.
Consécutives à des effondrements de salles souterraines creusées par l'eau,
ces dépressions circulaires peuvent atteindre 65 m de profondeur et 800 m de tour.
S'y développent des écosystèmes très spécifiques, comme ici dans la fosse de
l'Ermitage. Espèces montagnardes, orchidées et gros scarabées transforment les lieux
en véritable petite jungle.

Passage sous roche, dans le chaos de Huelgoat.

Les mangroves : on les trouve habituellement près de l'équateur, en lisière des forêts tropicales humides et au sein de grandes zones marécageuses. Il s'agit de milieux pauvres en oxygène, baignés d'eau saumâtre, où des arbres étranges étirent de multiples racines qui plongent dans la vase. Le courant d'Huchet, au cœur de la forêt des Landes, nous entraîne dans un univers semblable ; les cyprès chauves y exhibent leurs racines pneumatophores au milieu des fougères géantes, dans un capharnaüm humide.

202

Ces racines, dites pneumatophores, sortent de terre pour capter l'oxygène qui fait défaut dans le sol marécageux.

203

205

Bienvenue aux Portes d'Enfer : c'est sous un ciel lourd de mars que le site prend tout son sens. Les eaux d'ébène de la Gartempe s'y précipitent entre deux austères falaises de granite. Au-delà,. . personne ne sait vraiment ce qui vous attend. Mais n'allez pas tenter le diable !

Calcaire et argile ont façonné
le littoral atlantique entre
Hendaye et St-Jean-de-Luz.

Au sein du domaine d'Abbadia, préservé
par le Conservatoire du littoral, se dessinent
les plus beaux tableaux de la côte basque.

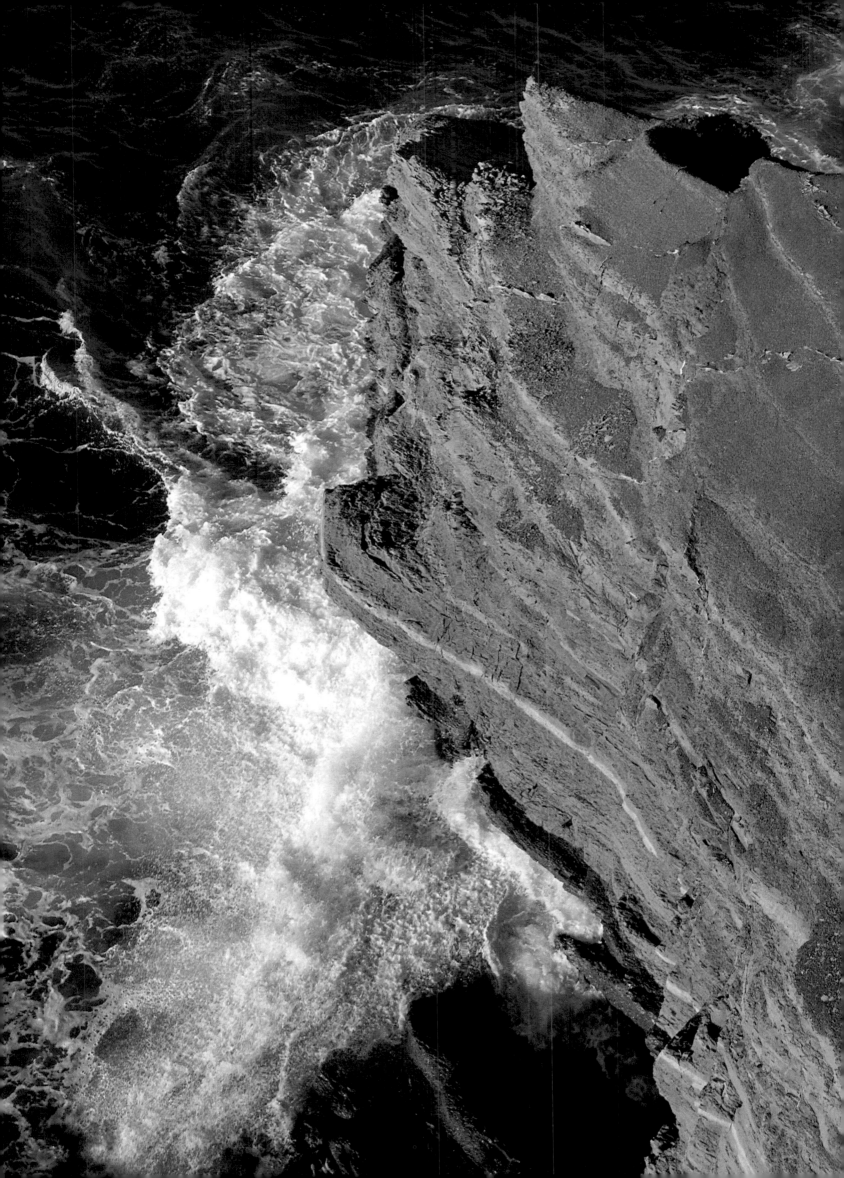

Dans les Pyrénées-Atlantiques, les paysages
sont à la hauteur de l'identité régionale :
forts et immenses. On ne compte plus
les routes qui ne figurent sur aucune carte,
les villages sans panneaux indicateurs ;
les gens d'ici savent où ils sont, et où ils vont.
Comme les palombes, qui migrent chaque
année au-dessus des montagnes, en espérant
passer entre ceux coups de fusil…

209

Aux confins du Pays Basque, non loin de la source de la Nive, se cache un paisible vallon. Des bergers mènent leurs troupeaux s'y abriter sous la grotte d'Harpéa. Ce magnifique pli rocheux n'a de grotte que le nom. Mais la symétrie et la succession des couches de pierre sont fascinantes.

À deux pas de Lourdes, Bétharram est le plus vaste réseau souterrain visitable de France. Sur plusieurs niveaux, couloirs et salles se succèdent : l'une d'entre elles est ornée d'un plafond extraordinaire, un véritable lapiaz à l'envers, résultat du travail incessant d'une rivière souterraine.

En amont de Cauterets,
sur la route du pont d'Espagne,
la cascade de Cerisey dévale
dans d'étroites gorges que l'on
imaginerait volontiers
sous d'autres latitudes.

Tout au bout de la vallée du Lys,
en Haute-Garonne, le Malin a pris
ses aises : le «Ru d'Enfer» se précipite
dans le «Gouffre d'Enfer», pour donner
naissance aux «Cascades d'Enfer»!
Mais dans un cadre paradisiaque…

d'ombre
et de lumière

les terres du midi

Limité à l'ouest par les Pyrénées, à l'est par les Alpes et au sud par les eaux de la Méditerranée, le midi de la France était originellement prédisposé à l'immense diversité de ses paysages. Du Roussillon à la Camargue et de la Provence à la Côte d'Azur, les terres sont partout baignées de soleil et la garrigue contrainte à la sécheresse. Les plaines viticoles y alternent avec des reliefs énergiques creusés par une eau tumultueuse mais saisonnièrement absente. Le Roussillon est encore très enclin au relief pyrénéen ; le Capcir et le Canigou (2 785 m) émergent du paysage. À leur pied, les rivières comme le Tech, la Têt ou l'Agly rejoignent la mer en creusant de puissantes gorges rafraîchissantes (gorges de la Fou et de Galamus). Les Corbières, recouvertes de vignobles, font le trait d'union avec le Minervois. Sur le littoral, les plaines du bas Languedoc sont des immensités sableuses parsemées d'étangs. Les plus grands d'entre eux, l'étang de Sigean et l'étang de Thau, ainsi que les lagunes côtières, furent autrefois désertés pour le foyer paludéen qu'ils représentaient : les moustiques étaient un réel fléau qui limita longtemps le peuplement de la région. Après les multiples campagnes de démoustication, la côte entre Leucate et la Camargue autorise depuis peu la découverte de sa richesse biologique. C'est le delta du Rhône, formant le triangle marécageux de la Camargue, qui marque effectivement la transition très nette des paysages lagunaires du Languedoc à ceux des calanques provençales. La Provence est donc une vaste région située entre le Rhône et les Alpes. La proximité des reliefs en anime les décors et les herbes aromatiques la rendent odoriférante. Mais, bien que les odeurs provençales suffisent à déchaîner les passions, la Provence a de surcroît une multitude de visages. Des falaises d'ocre du Luberon aux corniches de l'Estérel, des rochers des Mourres aux gorges du Cians, la nature est partout différente, souvent majestueuse mais toujours éblouissante.

Les Grands Goulets, Drôme.

Les glaciers alpins lui confèrent l'opulence de ses eaux qui s'expriment sous forme de grands fleuves comme la Durance ou de torrents creusant canyon dans le Verdon, gorges étroites à Régalon et gouffre abyssal à la Fontaine de Vaucluse. Mais la Provence sait également briller de minéralité aride : les ocres de Rustrel connus sous le nom de Colorado provençal, les robines du Liman, des terres noires inconnues de tous, les Dentelles de Montmirail hérissées au-dessus du vignoble de Gigondas, sont des terres de poussière tout aussi séduisantes. Sur le littoral, la Côte d'Azur ne présente plus guère de coins de nature sauvage, exceptés quelques lambeaux. Les massifs des Maures et de l'Estérel sont de ceux-là. Le massif alpin s'achève véritablement à cent soixante kilo-mètres au large, sur l'île de Beauté. C'est par ses somptueux paysages méditerranéens que se termine l'extrême sud de la France. La Corse est une île de Méditerranée mais, de ses voisines, elle est la plus riche et la plus diversifiée. Ses sommets jaillissant à plus de deux mille mètres à moins de vingt-cinq kilomètres des côtes lui confèrent une unicité très convoitée. Des pozzines émeraude aux falaises rubis des *calanche* de Piana et des côtes vert amande du cap Corse au causse immaculé de Bonifacio, l'île est intarissable de beauté.

Le sud, riche d'une diversité exemplaire fortement menacée, est une des régions les mieux protégées de France. Le parc national de Port-Cros y constitue le premier parc sous-marin d'Europe et de Méditerranée.

217

Le Colorado provençal porte bien son nom : sur plusieurs hectares,
cette ancienne carrière d'ocre, à Rustrel dans le Vaucluse, affiche la couleur.
L'ocre, ce pigment naturel dont nos ancêtres se servaient pour peindre,
est le résultat de l'oxydation de sables riches en fer et manganèse ; ils furent déposés
par une ancienne mer, à l'ère secondaire. L'érosion ravine désormais
ces épaisses couches friables, dressant d'éphémères pitons.

La Camargue est incroyablement changeante. Réserves botaniques et zoologiques y côtoient salins et mas de gardians. C'est surtout au sud de ce delta du Rhône que se maintiennent les paysages traditionnels. Près du phare de Faraman, les étangs se succèdent dans un festival de teintes d'aquarelle. Le crépuscule, lui, change le marais en feu.

218

Au sein de l'archipel des îles d'Hyères, au large du massif des Maures, le parc comprend l'île de Port-Cros mais également celle de Porquerolles, siège du Conservatoire botanique national méditerranéen, celle de Bagaud et deux autres îlots. Son périmètre comprend également six cents mètres de mer autour de leur rivage. Les reliefs montagneux de Port-Cros datent de l'ère primaire, mais son insularité date de la dernière période glaciaire (– 20 000 ans). Chacune des îles est recouverte de maquis haut (arbousiers, bruyère arborescente, lentisques, genévriers de Lycie, lavande des îles…), de chênes verts dans les vallons plus humides, de pins d'Alep sur les côtes, et autres oliviers sauvages. Côté faune, aucune des îles n'est assez grande pour permettre le développement de grands animaux : seuls trois mammifères sont recensés (chauves-souris et rats) et régulés par une population de reptiles (couleuvre de Montpellier, couleuvre à échelons). En revanche, l'archipel constitue un véritable carrefour ornithologique, sur le chemin des grandes migrations (milan, bondrée, guêpier…). Sur les cent quatorze espèces d'oiseaux observés, moins d'un quart sont nicheuses. Sous la surface de la mer, le parc marin de Port-Cros abrite l'un des derniers récifs barrières de posidonie en Méditerranée. Il est fréquenté par quelque soixante-dix espèces de poissons et par la grande nacre, plus grand coquillage de Méditerranée (pêche sous-marine interdite).

Le parc naturel régional englobe toute la région et tente de soutenir l'élevage des chevaux et des taureaux sauvages. D'autres initiatives, comme celle du Conservatoire du littoral, au domaine de la Palissade, favorisent la préservation des écosystèmes.

La Provence accueille le parc naturel régional du Luberon (Vaucluse, Alpes-de-Haute-Provence, 150 000 ha, création : 1977). Véritable balcon sur les Alpes et la Méditerranée, le Luberon est une montagne calcaire d'altitude modeste (1 125 m au Mourre Nègre) où l'ensoleillement exceptionnel encourage le foisonnement d'espèces animales et végétales. On y distingue le Petit Luberon, à l'ouest, au relief plus déchiqueté (gorges, falaises, éperons rocheux), du Grand Luberon à l'est, plus arrondi ; tout deux sont séparés par la combe de Lourmarin et limités au sud par le cours de la Durance. Les paysages du premier sont propices à l'observation de rapaces devenus rares (aigle de Bonelli, circaète Jean-le-blanc, grand duc d'Europe, vautour percnoptère…) et abritent la plus belle cédraie d'Europe (cèdres de l'Atlas implantés au XIX\u1d49 siècle). Le parc a institué dans cette microrégion une zone de silence et de nature. Les calcaires plus tendres du second forment de douces ondulations recouvertes de pelouse, de hêtraies et de pins d'Alep. Dans la région d'Apt, les teintes provençales sont exacerbées : les anciennes carrières d'ocre imitent les décors du canyon du Colorado. Sable, argile et oxydes (fer et manganèse) y sont creusés de cirques et de vallées insolites en camaïeux de rouge orangé. Le parc préserve également, sur l'ensemble de son territoire, un patrimoine bâti très ancien constitué de constructions de pierres sèches du néolithique, les bories.

À l'ouest, le parc naturel régional du Haut Languedoc (Tarn et Hérault, 145 000 ha, création : octobre 1973) est le trait d'union entre le Massif central et le littoral méditerranéen. Le parc, limité au nord par les monts de Lacaune, et au sud par la montagne Noire a été mis en place pour concilier développement économique et protection du milieu naturel. Située sur la terminaison granitique du Massif central, la région du Sidobre a été très marquée par une exploitation rocheuse déraisonnable. Aujourd'hui, les paysages granitiques sont pour l'essentiel redevenus sauvages et touristiques. Le granite érodé en boule a aujourd'hui un charme certain : la mascotte du Sidobre est la célèbre Peyro-Clabado, une roche de 780 tonnes en équilibre, épargnée par les tailleurs de pierre. Tout autour, la forêt prospère. Le haut Languedoc n'est pas seulement un immense gisement de granite ; au sud, de puissants calcaires forment les paysages grandioses du Minervois dont on prend toute la dimension dans le canyon de la Cesse creusé au pied du village de Minerve.

Au large de la Méditerranée, le parc naturel régional de Corse (Haute-Corse et Corse-du-Sud, 330 000 ha, création : mai 1972) couvre près d'un tiers de l'île de Beauté et présente des paysages infiniment variés : haute montagne (plusieurs sommets à plus de deux mille mètres), littoral et fonds sous-marins. Même si le maquis méditerranéen s'impose sur la majeure partie de l'île, la forêt reste également très bien représentée. Les plus belles se nomment Aitone, Bavella ou Vizzavona et se parent de pins laricio, de hêtres et autres châtaigniers. Le parc protège sur la côte ouest un des joyaux de l'île et du monde : la réserve marine et terrestre de Scandola. Cette presqu'île de neuf cent vingt hectares est le plus haut

220

Les Alpes-de-Haute-Provence sont riches de nombreuses merveilles.
L'une d'entre elles reste d'une stupéfiante originalité : les robines de Liman.
Au nord de Digne-les-Bains, ces collines de marnes noires
nous transportent sur un autre continent.

complexe volcanique littoral d'Europe et constitue un formidable musée à ciel ouvert où s'observent depuis la mer d'étonnantes coulées de lave. Le parc est traversé du nord-ouest au sud-est par le mythique sentier de randonnée qui parcourt quelque deux cents kilomètres des plus beaux paysages de la Corse intérieure (lacs, cascades, gorges, pozzines…) en compagnie d'une faune sauvage omniprésente (porcs coureurs, ânes, vaches…).

Ailleurs, la protection de l'authenticité naturelle est à la charge du Conservatoire du littoral, avec des contraintes très différentes d'est en ouest.

En Languedoc-Roussillon, le littoral s'étend de la Camargue à la frontière espagnole. Il est caractérisé par quarante mille hectares de lagunes littorales et cinquante mille de zones humides à fort intérêt écologique. Longtemps

délaissé, il a dû faire l'objet de campagnes de démoustication et d'aménagement avant de devenir attrayant. Le Conservatoire du littoral a donc eu toute latitude à y acquérir de vastes espaces naturels.

En Provence-Alpes-Côte d'Azur, les calanques immaculées des Bouches-du-Rhône ou les falaises rougeoyantes de l'Estérel forment des paysages et des milieux littéralement opposés. La région est l'une des plus riches d'un point de vue biologique (altitudes comprises entre 0 et 4 000 m) mais également la plus soumise à la pression humaine (25 % des résidences secondaires littorales y sont construites). Sur les sept cent cinq kilomètres côtiers, le Conservatoire du littoral n'en possède que soixante-quatre. Parmi eux, les sept cents hectares du Domaine de la Palissade, près de Salin-de-Giraud, présentent, en un seul lieu, l'ensemble des écosystèmes camarguais. ▶

221

Il s'agit d'anciennes vasières du crétacé qui prennent aujourd'hui
la forme d'un conglomérat consolidé par de l'argile :
une simple pluie suffit à transformer le site en patinoire.
Seules quelques graminées parviennent à s'y accrocher.

Les gorges du Cians, dans les Alpes-Maritimes, sont tapissées de rouge :
c'est la couleur des blocs de schiste, reliques d'une ancienne montagne
qui recouvrait presque toute la France au carbonifère.

Cassis, calanque d'En Vau, 18 h 05 :
Elle est bonne, hein ?… Oui, elle est bonne…
On est bien, hein ?… Oh oui, on est bien !

223

224

Ille-sur-Têt, dans la région de Perpignan, vaut mille fois le détour :
l'argile blanche de l'ère tertiaire semble y surgir de terre, comme pour toucher le ciel.
Pitons, cheminées de fées, orgues et canyons se côtoient dans une éblouissante
clarté. C'est encore une fois l'érosion des pluies qui est le principal maître d'œuvre.
Chaque orage emporte un peu plus de sable vers les vallons.
Mais le site s'en trouve perpétuellement recomposé.

Double page suivante :

Panorama sur le site d'Ille-sur-Têt.

228

Un peu plus de deux centimètres par siècle : c'est à ce rythme que le Gardon
creuse ses gorges. Aux abords d'Uzès, c'est une véritable oasis
au milieu du «cagnard». Site naturel remarquable cerné de garrigues,
seules les rives abreuvent une végétation plus grasse.

Près de Sisteron, les gorges de la Méouge sont en partie classées réserve biologique.
Leurs parois calcaires sont polies et brillantes comme du marbre de Carrare.
À moins que nous ne soyons bien plus au nord, sur un lit de glace...

Les gorges de Régalon, dans les montagnes du Lubéron,
sont un extraordinaire terrain d'exploration. Mais en saison sèche,
puisqu'elles sont le repaire d'un torrent fougueux lorsque sévissent
les orages. On les dit parmi les plus étroites du monde :
en certains passages, la roche semble vouloir se refermer,
telles des mâchoires, sur l'imprudent qui tenterait d'y pénétrer...

À Fontaine-de-Vaucluse, on est bien plus enclin à regarder surgir du sol
l'une des plus importantes sources du monde, qu'à admirer le ciel.
Et pourtant, lequel des deux spectacles est le plus impressionnant ?...

Les calanques de Cassis laissent place à un superbe
arrière-pays : ces gorges calcaires virent autrefois
passer des fleuves entre leurs flancs.
Mais c'est une mer qui agglutina ces roches,
il y a plus de cent dix millions d'années.

Seule une poignée d'ermites choisirent jadis de s'établir
dans les impressionnantes gorges de Galamus.
Une petite chapelle troglodyte et ses dépendances en témoignent.
Il est encore possible d'y passer quelques nuits, en qualité d'hôte…

En Corse, malgré une forte fréquentation estivale, les insulaires ont toujours su préserver intacte l'ensemble de leur façade maritime : les constructions littorales ne sauraient gâcher le paysage, et ce en dépit des plus intenses pressions. L'île est par conséquent le plus grand gisement d'espaces naturels de France et le conservatoire y contribue à plus de 20 % en ayant acquis plus de cent soixante-dix kilomètres de rivage. Le plus vaste reste pour l'instant le célèbre désert des Agriates (4 868 ha). Il n'a de désert que le nom puisque plages, étangs et marais y foisonnent ainsi qu'une faune et une flore aussi libres que l'air.

234

Qui n'a pas vu les *calanche* de Piana, n'a rien vu, ou presque.
Ces montagnes de porphyre qui plongent dans le golfe de Porto
deviennent rouge sang sous le couchant. Et ce n'est là qu'un de leurs attraits.
Sur plus de 10 km se sont concentrés parmi les plus beaux granites du monde ;
un hymne à la pierre, patrimoine de l'humanité.

la nature en France

les structures de protection et de préservation

Natura 2000

Riche d'un patrimoine naturel exceptionnel, l'hexagone s'inscrit dans une politique mondiale de conservation de la diversité des milieux et des paysages. Fondée en 1948, l'Union mondiale pour la Nature (UICN) a pour mission d'influer sur les cent trente-neuf États membres, afin que perdure l'intégrité de la nature. Créé en 1992, le Comité français pour l'UICN s'est fixé des objectifs à la hauteur de cette noble cause. Ainsi, le réseau Natura 2000 vise à préserver la diversité biologique, par la conservation des habitats naturels au sein des territoires de l'Union européenne. Il s'appuie sur deux directives dites « oiseaux » et « habitat ». La première organise la protection des oiseaux sauvages et de leur environnement ; la seconde prévoit depuis 1992 la mise en place de sites abritant les habitats naturels et les habitats d'espèces de faune et de flore sauvages d'intérêt communautaire. Toutes deux se font garantes de la diversité biologique de la planète et s'attachent à mettre en place une politique écologique sous la forme de Zones de Protection Spéciales et de Zones Spéciales de Conservation. Suite à un inventaire scientifique confié au muséum d'Histoire naturelle, ce réseau mis en place d'ici 2004, permettra de réaliser l'ensemble des objectifs que se sont fixés la France et les États membres lors du « Sommet de la Terre » de Rio.

La Corse n'a pas encore livré tous ses trésors : la pointe de Campomoro est l'un des sites les plus méconnus et les plus beaux qui soient. Le granit blanc est ici objet d'art.

La France compte 7 parcs nationaux, 32 parcs naturels régionaux, plus de 370 sites acquis par le Conservatoire du littoral et des rivages lacustres et 700 pour les conservatoires régionaux d'espaces naturels, 151 réserves naturelles et autant de réserves naturelles volontaires (classées à la demande de leurs propriétaires) ainsi que 18 zones humides d'importance internationale.

Les parcs nationaux

Plus de mille cinq cents espaces dans le monde et près de deux cents en Europe recèlent un patrimoine naturel exceptionnel. En France, les parcs nationaux imposent une protection toute particulière à sept d'entre eux, faits de faune, de flore ou de paysages de grande valeur. Chacun est géré par un établissement public, sous tutelle du ministère de l'Environnement qui en supervise la gestion administrative et financière. À la différence des parcs naturels régionaux, les parcs nationaux sont constitués d'une zone centrale inhabitée. Souvent fragile, cette dernière bénéficie de mesures de sauvegarde renforcées.

Réintroduction, suivi scientifique de la faune et de la flore, conservatoires botaniques, sont autant de protections actives qui assurent la sauvegarde de ce patrimoine naturel ; mais les deux autres missions des parcs nationaux sont également de les faire découvrir au plus grand nombre (classes découverte, conférences, expositions, accueil du public dans les maisons des parcs) et de prendre en compte l'histoire culturelle de ces territoires en contribuant au développement local d'une zone périphérique, dans le plus grand respect son l'environnement.

Les parcs naturels régionaux

Conserver intact le patrimoine de la France est la mission que se donnent les parcs naturels régionaux. Depuis 1967, les collectivités locales, en association avec le ministère de l'Environnement, gèrent près de 10 % du territoire dans un souci de protection et de développement local.

Un parc naturel régional a pour objet :
- de protéger son patrimoine, notamment par une gestion adaptée des milieux naturels et des paysages ;
- de contribuer à l'aménagement du territoire
- de favoriser le développement économique, social, culturel et à la qualité de la vie ;
- d'assurer l'accueil, l'éducation et l'information du public ;
- de réaliser des actions expérimentales ou exemplaires dans les domaines cités ci-dessus et de contribuer à des programmes de recherche.

Les parcs, souvent mis en place sur des espaces à l'équilibre fragile, s'attachent à maintenir la juste répartition des différentes aires agricoles, forestières, naturelles et urbaines. Ils doivent veiller au maintien de leur biodiversité et certains vont même au-delà en incluant dans leur charte des programmes et des clauses supplémentaires : protection d'espèces localement en voie de disparition (chouette chevêche, loutre…), constitution d'une banque de semence des races ovines et bovines d'autrefois (moutons Raiolles dans les Grands Causses, vache ferrandaise dans les Volcans d'Auvergne, moutons boulonnais dans le Pas-de-Calais).

À la différence des parcs nationaux, tout leur territoire est habité. Tous s'attachent à protéger leur patrimoine culturel et bâti ; ainsi, les traditions populaires sont maintenues (produits de terroir, artisanat, fêtes, fanfares…) et toutes les constructions incluses dans le périmètre d'un parc naturel régional doivent se conformer à sa charte architecturale.

Toutes ses opérations n'ont pour autre but qu'un développement durable et affichent une volonté de transmettre intact le patrimoine actuel aux générations futures.

L'Unesco et le patrimoine mondial de l'humanité

L'Organisation des Nations unies pour l'Éducation, la Science et la Culture encourage la protection et la préservation du patrimoine naturel à travers le monde. Vingt-six sites en France sont considérés d'intérêt exceptionnel pour l'humanité par décret international. Le patrimoine naturel concerne les formations physiques, biologiques et géologiques remarquables, les aires d'une valeur exceptionnelle du point de vue de la science, de la conservation ou de la beauté naturelle et les habitats d'espèces animales et végétales menacées. La mission de l'Unesco est donc, d'une part d'encourager les pays à signer la convention de 1972, et d'assurer la protection de leur patrimoine naturel d'autre part. La convention sur le patrimoine mondial, signée par plus de cent cinquante pays, est unique en son genre : les sites inscrits sur sa liste appartiennent à tous les peuples du monde, sans tenir compte du territoire sur lequel ils sont situés. Cela sans préjudice de la souveraineté nationale et des droits de propriété.

Les biens naturels doivent :
(extrait de la convention)
- soit être des exemples éminemment représentatifs des grands stades de l'histoire de la Terre, y compris le témoignage de la vie, de processus géologiques en cours dans le développement des formes terrestres ou d'éléments géomorphologiques ou physiographiques ayant une grande signification ;
- soit être des exemples éminemment représentatifs de processus écologiques et biologiques en cours dans l'évolution et le développement des écosystèmes et communautés de plantes et d'animaux terrestres, aquatiques, côtiers et marins ;
- soit représenter des phénomènes naturels ou constituer des aires d'une beauté naturelle et d'une importance esthétique exceptionnelle ;
- soit contenir les habitats naturels les plus représentatifs et les plus importants pour la conservation *in situ* de la diversité biologique, y compris ceux où survivent des espèces menacées ayant une valeur universelle exceptionnelle du point de vue de la science ou de la conservation.

La protection, la gestion et l'intégrité du site sont également des considérations importantes.

Les sites naturels français inscrits au patrimoine de l'humanité

- Le mont Saint-Michel et sa baie
- Les grottes ornées de la vallée de la Vézère
- La saline royale d'Arc-et-Senans
- Les caps de Girolata et de Porto, la réserve naturelle de Scandola, les calanche de Piana en Corse
- Le canal du Midi
- Les chemins de Saint-Jacques de Compostelle en France
- Le val de Loire entre Sully-sur-Loire et Chalonnes.

Le Conservatoire du littoral, un exemple de maîtrise foncière

Après l'urbanisation effrénée de ces dernières décennies, la nécessité s'imposa en 1975, quatre ans après la création du ministère de l'Environnement, de conserver en bord de mer la qualité du cadre de vie et la diversité des paysages. C'est, depuis lors, la tâche du Conservatoire du littoral. Son rôle est précisément de « mener, dans les cantons côtiers et dans les communes riveraines des lacs et des plans d'eau d'une superficie au moins égale à mille hectares, une politique foncière de sauvegarde de l'espace littoral, de respect des sites naturels et de l'équilibre écologique ». Autrement dit, le conservatoire a vocation à acquérir et à gérer des espaces naturels afin d'assurer leur pérennité. Son programme d'acquisition repose en partie sur des Conseils de rivages, constitués d'élus départementaux et régionaux, mais la gestion des sites, une fois acquis et rénovés, si besoin est, est déléguée à une collectivité locale volontaire (commune, association, syndicat mixte, parc...). Études et bilans écologiques sont lancés sitôt l'acquisition faite, ainsi que des inventaires fauniques et floristiques. À la manière des parcs, leur ambition n'est pas de sanctuariser la nature mais plutôt de préserver pour montrer. Ainsi, le conservatoire se doit d'accueillir les promeneurs d'une part et de laisser la nature libre de son évolution d'autre part. Cependant, il ne cherche pas, loin de là, à accroître la fréquentation de ces sites ; la signalisation n'est pas une obligation. La préservation du patrimoine culturel est également une de ses vocations : la viticulture, l'exploitation du sel ou du bois, la pisciculture, le maraîchage... sont encouragés. Le Conservatoire du littoral est présent dans dix-huit régions, soit quarante-trois départements français.

Les réserves naturelles

L'État a pris en charge un certain nombre de sites naturels d'un grand intérêt scientifique dont la pérennité est menacée : les réserves naturelles, parfois confiées aux parcs régionaux ou nationaux ou au Conservatoire du littoral.

Bien que leur appellation évoque un périmètre clos réservé à la nature et à ses animaux, les réserves naturelles françaises sont quasiment toutes accessibles au public (trois millions de visiteurs par an). Les plantes, arbres, insectes et autres mammifères qu'elles abritent ne proviennent pas de contrées exotiques, à l'image des réserves africaines, mais de chez nous. Certaines espèces rares y trouvent refuge et le but des réserves est de leur assurer pérennité dans un espace scientifiquement surveillé et protégé. Elles s'éparpillent sur l'ensemble du territoire français et présentent des biotopes tous différents (falaises, plages, grottes, forêts, zones humides, fonds sous-marins, flancs de montagnes, vallées glaciaires...). L'une des plus petites couvre moins d'un hectare et demi sur l'île de Saint-Nicolas des Glénans et protège un narcisse endémique de l'archipel ; l'une des plus grandes couvre quatre-vingt mille hectares dans les bouches de Bonifacio et protège un parc sous-marin d'une extraordinaire diversité. La plus haute se trouve à quelque trois mille huit cents mètres d'altitude, à Contamine-Monjoie, en Haute-Savoie et protège une flore et une faune de haute montagne exceptionnelles.

Pour prendre le plus grand soin de cette multitude d'espaces protégés, la mission des réserves naturelles est triple. Leur protection ne consiste pas uniquement à les aménager de panneaux d'interdiction (cueillette, déchets, feu, chien...) mais davantage d'y mener à bien des actions concrètes de gestion des milieux et d'accueil au public. À ces fins, des analyses scientifiques et des inventaires sont régulièrement faits pour suivre l'évolution des espèces présentes. Le cas échéant, des interventions prudentes s'imposent tels la fixation de dunes, le curage des étangs ou bien encore la construction d'observatoires. Car le but des réserves est également de faire découvrir leurs hôtes. L'ensemble des aménagements (sentiers de découverte et observatoires) sont installés dans le plus grand respect du biotope. Aussi il va de soi que le visiteur doit s'y aventurer avec le plus grand respect et en silence...

Leur répartition est très inégale : certaines régions, comme le Massif central et la Bretagne, sont moins couvertes, d'autres sont le sont plus comme la Haute-Savoie, les Pyrénées-Orientales ou le Nord-Pas-de-Calais. L'an 2000 en recensait cent cinquante et une, l'objectif à atteindre est de deux cents pour 2010.

Les zones humides d'importance internationale

Étendues d'eau douce ou salée, permanentes ou temporaires, les zones humides ont subi ces dernières décennies les avatars de l'aménagement du territoire (drainage, endiguement, poldérisation...) : des milliers d'hectares aux fonctions biologiques importantes ont ainsi disparu, menaçant l'équilibre et la pérennité d'espèces végétales et animales. La convention de Ramsar, ratifiée par la France en 1986, fait aujourd'hui obligation de favoriser la conservation et l'utilisation rationnelle de zones humides tels que les marais, les prés salés, les tourbières, mais également les lacs et rivières. Toutes figurent parmi les écosystèmes les plus productifs de la biosphère. La liste des zones humides d'importance internationale répertoriait mille vingt et un sites en l'an 2000 répartis sur soixante-quinze millions d'hectares à travers le monde. En France métropolitaine, quinze sites en font partie, soit 600 000 ha :

- La baie de Somme, en Picardie
- La baie du mont Saint-Michel, en Basse-Normandie
- Les basses vallées angevines, en Pays de la Loire
- La Camargue, en Provence-Alpes-Côte-d'Azur
- L'étang de Biguglia, en Corse
- Les étangs de la Champagne humide, en Champagne-Ardenne
- Les étangs de la petite Woëvre, en Lorraine
- Le golfe du Morbihan, en Bretagne
- La Grande Brière, en Pays de la Loire
- La Brenne, en région Centre
- Le lac de Grand-Lieu, en Pays de la Loire
- Les marais du Cotentin et du Bessin, la baie de Veys, en Basse-Normandie
- Les marais salants de Guérande et du Mès, en Pays de la Loire
- La Petite Camargue, en Languedoc-Roussillon
- Les rives du lac Léman, en Rhône-Alpes

Aussi talentueux soit-il, un photographe
ne peut, à lui seul, inventer un paysage ;
toutes les photographies préexistent dans la nature.
Dénicher ces tableaux vivants
est le plus merveilleux des enjeux.
L'image tant convoitée se révèle alors
comme une évidence incontournable
et s'impose à celui ou celle qui sait ouvrir les yeux
et s'abandonner.

Fabrice Milochau

© 2001 Les Créations du Pélican / VILO
ISBN : 2 7191 0592 9 (relié) - 2 7191 0601 1 (broché)
Dépôt légal : 3ᵉ trimestre 2001
Siège social : VILO, 25, rue Ginoux - 75015 Paris - Tél. : 01 45 77 08 05 - Fax : 01 45 79 97 15
Direction éditoriale : Jean-Michel Renault - 826, avenue du P-Émile-Jeanbrau - 34090 Montpellier - Tél. : 04 67 02 66 02 - Fax : 04 67 02 66 01
Compogravure : Photogravure du Pays d'Oc - Montpellier
Imprimé en Union Européenne sur les presses de Beta
Tous droits réservés pour tous pays.

Consultez notre catalogue par l'internet : livre-en-ligne.com/pelican